nuovo

PROGETTO ITALIANO 1

T. Marin
S. Magnelli

Corso multimediale di lingua e civiltà italiana

livello elementare
A1-A2 QUADRO EUROPEO DI RIFERIMENTO

Libro dello studente

EDILINGUA

www.edilingua.it

T. Marin dopo una laurea in Italianistica ha conseguito il Master Itals (Didattica dell'italiano) presso l'Università Ca' Foscari di Venezia e ha maturato la sua esperienza didattica insegnando presso varie scuole d'italiano. È autore di diversi testi per l'insegnamento della lingua italiana: *Progetto italiano 1*, *2* e *3* (Libro dello studente), *La Prova orale 1* e *2*, *Primo Ascolto*, *Ascolto Medio*, *Ascolto Avanzato*, *l'Intermedio in tasca*, *Ascolto Autentico*, *Vocabolario Visuale* e *Vocabolario Visuale - Quaderno degli esercizi* e ha curato la collana *Video italiano*. Ha tenuto varie conferenze sulla didattica dell'italiano come lingua straniera e sono stati pubblicati numerosi suoi articoli.

S. Magnelli insegna Lingua e Letteratura italiana presso il Dipartimento di Italianistica dell'Università Aristotele di Salonicco. Dal 1979 si occupa dell'insegnamento dell'italiano come LS; ha collaborato con l'Istituto Italiano di Cultura di Salonicco, nei cui corsi ha insegnato fino al 1986. Da allora è responsabile della progettazione didattica di Istituti linguistici operanti nel campo dell'italiano LS. È autore dei Quaderni degli esercizi di *Progetto italiano 1*, *2* e *3*.

Gli autori e l'editore sentono il bisogno di ringraziare i tanti colleghi che, con le loro preziose osservazioni, hanno contribuito al miglioramento di questa nuova edizione.
Un sincero ringraziamento, inoltre, va agli amici insegnanti che, visionando e provando il materiale in classe, ne hanno indicato la forma definitiva.
Infine, un pensiero particolare va ai redattori e ai grafici della casa editrice per l'impegno profuso.

a mia figlia
T. M.

Via Paolo Emilio, 28 00192 Roma

Via Moroianni, 65 12133 Atene
Tel. +30 210 57.33.900
Fax: +30 210 57.58.903
www.edilingua.it
info@edilingua.it

II edizione: luglio 2006
ISBN: 960-6632-24-5
Redazione: A. Bidetti, L. Piccolo
Ha collaborato: M. G. Tommasini
Foto: M. Diaco, T. Marin
Impaginazione, illustrazioni: S. Scurlis (Edilingua)
Registrazioni: *Il teatro della sorpresa*, Firenze

Gli autori apprezzerebbero, da parte dei colleghi, eventuali suggerimenti, segnalazioni e commenti sull'opera (da inviare a redazione@edilingua.it)

Premessa

Nonostante la precedente edizione di *Progetto italiano 1* abbia avuto ovunque un ottimo e crescente riscontro, si è sentita ugualmente la necessità di una Nuova edizione al fine di presentare un libro più aggiornato e completo. Questa Nuova edizione è il frutto di una ponderata e accurata revisione, resa possibile grazie al prezioso feedback fornitoci negli ultimi anni, attraverso questionari, e-mail e contatti diretti, da tanti colleghi e colleghe che hanno usato il libro. In questa Nuova edizione si sono tenute presenti le nuove esigenze nate dalle teorie più recenti e dalla realtà che il Quadro Comune Europeo di Riferimento per le Lingue e le certificazioni d'italiano hanno portato. Questo senza buttar via, come spesso avviene, tutto ciò che gli approcci e i metodi precedenti hanno dato all'insegnamento delle lingue.
La lingua moderna, le situazioni comunicative arricchite di spontaneità e naturalezza, il sistematico lavoro sulle quattro abilità, la presentazione della realtà italiana attraverso brevi testi sulla cultura e la civiltà del nostro Bel Paese, l'impaginazione moderna e accattivante fanno di *Nuovo Progetto italiano 1* uno strumento didattico equilibrato, efficiente e semplice nell'uso, che ha l'ambizione di far innamorare dell'Italia chi ne studia la lingua e, allo stesso tempo, mira a fornire tutte quelle nozioni che permetteranno di comunicare senza problemi in italiano.
Noterete che l'intero libro è un costante alternarsi di elementi comunicativi e grammaticali, allo scopo di rinnovare continuamente l'interesse della classe e il ritmo della lezione, attraverso attività brevi e motivanti. Allo stesso tempo si è cercato di semplificare e "smitizzare" la grammatica, lasciando che sia l'allievo a scoprirla, per poi metterla in pratica nelle varie attività comunicative. Attività che lo mettono ancora di più al centro della lezione, protagonista di un "film" di cui noi insegnanti siamo registi. Restando dietro le camere (o le quinte, se preferite), dobbiamo soltanto far da guida ai nostri attori, suggerire loro quando necessario, tirar fuori il meglio di loro, magari, a volte, recitando noi stessi. Ecco, *Nuovo Progetto italiano 1* potrebbe esser visto come il copione su cui basare il vostro "film"...

La Nuova edizione
Nuovo Progetto italiano 1, pur mantenendo i punti "forti" dell'edizione precedente, già apprezzati dai docenti, pensiamo che sia ancora più moderno dal punto di vista metodologico, più comunicativo e più induttivo: si invita costantemente l'allievo, sempre con l'aiuto dell'insegnante, a scoprire i nuovi elementi, grammaticali e non. Ogni unità è stata suddivisa in sezioni per facilitare l'organizzazione della lezione. L'unità introduttiva è stata riprogettata e le prime unità sono state alleggerite e facilitate laddove ci sembrava ci fosse un eccessivo carico di contenuti. Altri cambiamenti hanno riguardato i contenuti grammaticali: alcune forme irregolari si è preferito spostarle in Appendice e si è accennato sommariamente ai possessivi già nella terza unità. Un'altra importante novità è data dalle pagine di cui è stata arricchita ciascuna unità del Libro dello studente, una pagina iniziale di attività preliminari e una pagina finale con brevi esercitazioni di autovalutazione. Inoltre, sono presenti più brani audio e attività di comprensione orale mentre i dialoghi, registrati da attori professionisti, sono più naturali, spontanei e meno lunghi. C'è una maggiore coerenza tra il lessico del Libro dello studente e quello contenuto nel Quaderno degli esercizi che, pur conservando la sua originalità e ricchezza, presenta attività meno lunghe, più varie e nuovi test finali. Le illustrazioni sono state rinnovate con foto nuove, più naturali e con simpatici disegni; allo stesso tempo una grafica più moderna, ma più chiara, facilita la consultazione.

La struttura delle unità (per maggiori suggerimenti si veda la Guida)

- La pagina introduttiva di ogni unità (*Per cominciare...*) ha lo scopo di creare negli studenti l'indispensabile motivazione iniziale attraverso varie tecniche di riflessione e coinvolgimento emotivo, di preascolto e ascolto, introducendo l'argomento della prima sezione e spesso anche dell'intera unità.
- Successivamente, nella prima sezione dell'unità, l'allievo legge e ascolta il brano registrato e verifica le ipotesi formulate e le risposte date nelle attività precedenti. Questo tentativo di capire il contesto porta ad un'inconscia comprensione globale degli elementi nuovi.
- In seguito, l'allievo rilegge il testo prestando attenzione alla corretta pronuncia e intonazione ed eventualmente cerca e sottolinea nel testo le nuove forme grammaticali: in questo modo comincia a fare delle ipotesi sull'uso di questi nuovi elementi. Poi risponde a domande di comprensione e prova a inserire le parole date (verbi, pronomi, preposizioni ecc.) in un dialogo simile, ma non identico, a quello introduttivo. Lavora, quindi, sul significato (condizione necessaria, secondo le teorie di Krashen, per arrivare alla vera

acquisizione) e inconsciamente scopre le strutture. Un breve riassunto, da svolgere preferibilmente a casa, rappresenta la fase finale di questa riflessione sul testo.

- A questo punto gli allievi, da soli o in coppia, cominciano a riflettere sul nuovo fenomeno grammaticale cercando di rispondere a semplici domande e completando la tabella riassuntiva con le forme mancanti. Subito dopo, provano ad applicare le regole appena incontrate esercitandosi su semplici attività orali. In tal modo l'insegnante può controllare la comprensione o meno dei nuovi fenomeni e gli allievi "imparano ad imparare". Un piccolo rimando indica gli esercizi da svolgere per iscritto sul Quaderno degli esercizi, in una seconda fase e preferibilmente a casa.
- Le funzioni comunicative vengono, a loro volta, presentate attraverso brevi dialoghi e poi sintetizzate in tabelle facilmente consultabili. I *role-plays* che seguono possono essere svolti sia da una coppia davanti al resto della classe oppure da più coppie contemporaneamente. In tutti e due i casi l'obiettivo è l'uso dei nuovi elementi e un'espressione spontanea che porterà all'autonomia linguistica desiderata. Ogni intervento da parte dell'insegnante, quindi, dovrebbe mirare ad animare il dialogo e non all'accuratezza linguistica. Su quest'ultima si potrebbe intervenire in una seconda fase e in modo indiretto e impersonale.
- I testi di *Conosciamo l'Italia* possono essere utilizzati anche come brevi prove per la comprensione scritta, per introdurre nuovo vocabolario e, naturalmente, per presentare vari aspetti della realtà italiana moderna. Si possono assegnare anche come compito da svolgere a casa.
- L'unità si chiude con la pagina dell'*Autovalutazione* che comprende 4 brevi attività soprattutto sugli elementi comunicativi e lessicali dell'unità stessa, così come di quella precedente. Gli allievi hanno a disposizione le chiavi, ma non sulla stessa pagina, e dovrebbero essere incoraggiati a svolgere queste attività non come il solito test, ma come una revisione autonoma.

Il CD-ROM

Nuovo Progetto italiano 1 è probabilmente l'unico manuale d'italiano che comprende un CD-ROM interattivo senza costi aggiuntivi. Questo innovativo supporto multimediale completa e arricchisce il materiale cartaceo, offrendo tante ore di pratica supplementare. Inoltre, grazie all'alto grado di interattività, l'allievo diventa più attivo, motivato e autonomo. Il CD-ROM interattivo offre la possibilità di scegliere tra percorsi liberi e guidati, le *Unità intere* sono simili ma non identiche a quelle del libro al fine di evitare la demotivazione. Lo studente può percorrere i contenuti del manuale anche per brani audio (tutti i brani del libro), fenomeni grammaticali, elementi comunicativi, di civiltà o filmati video. Gli *Esercizi extra* proposti sono completamente nuovi rispetto al Quaderno degli esercizi. Per ogni attività svolta l'allievo ottiene una valutazione formativa, un feedback positivo e incoraggiante, e ha la possibilità di visionare le soluzioni. In qualsiasi momento, lo studente può scegliere la lingua (italiano o inglese) con cui comunicare con il programma, stampare la propria pagella, consultare il glossario e ascoltare la pronuncia corretta di ogni parola o espressione.

I materiali extra

Nuovo Progetto italiano 1 viene completato da una serie di materiali extra di cui alcuni sono già disponibili mentre altri sono in corso di preparazione. Tra i materiali più importanti ricordiamo le attività on line, presenti sul sito di Edilingua (www.edilingua.it/progetto), cui rimanda un apposito simbolo alla fine di ogni unità, e la Guida che, oltre a idee e suggerimenti pratici, comprende prezioso materiale da fotocopiare, giochi ecc.

Buon lavoro!
Gli autori

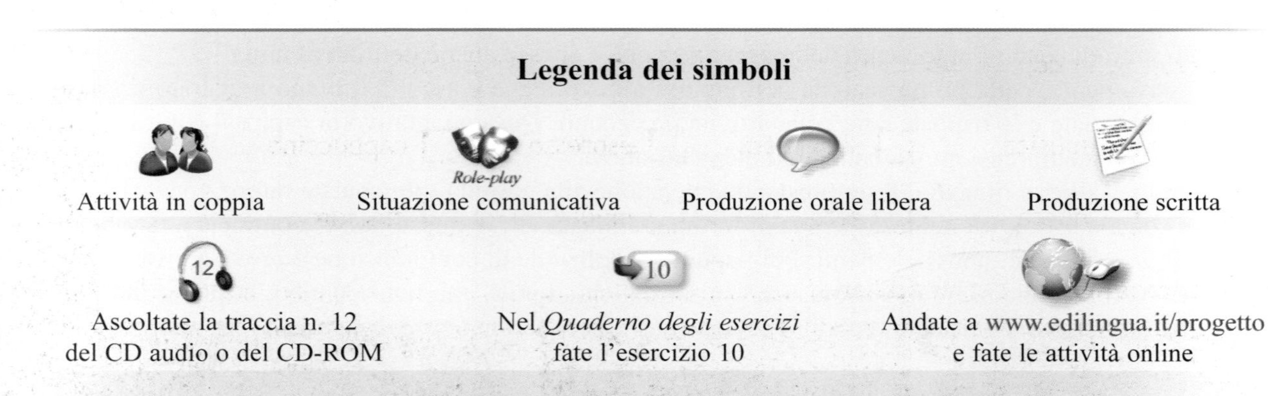

Benvenuti!

A Parole e lettere

1 Osservate le foto. Cos'è l'Italia per voi?

2 Lavorate in coppia. Abbinate le foto numerate a queste parole.

☐ musica ☐ spaghetti ☐ espresso ☐ cappuccino

☐ opera ☐ arte ☐ moda ☐ cinema

Conoscete altre parole italiane? ....

3 Le lettere dell'alfabeto: ascoltate.

L'alfabeto italiano

A a	a	**H h**	acca	**Q q**	qu
B b	bi	**I i**	i	**R r**	erre
C c	ci	**L l**	elle	**S s**	esse
D d	di	**M m**	emme	**T t**	ti
E e	e	**N n**	enne	**U u**	u
F f	effe	**O o**	o	**V v**	vu (vi)
G g	gi	**P p**	pi	**Z z**	zeta
J j	i lunga	**K k**	cappa	**W w**	vu doppia
X x	ics	**Y y**	ipsilon (i greca)	*In parole di origine straniera*	

4 Pronunciate lettera per lettera le parole dell'attività 2.

5 Pronuncia (1). Ascoltate e ripetete le parole.

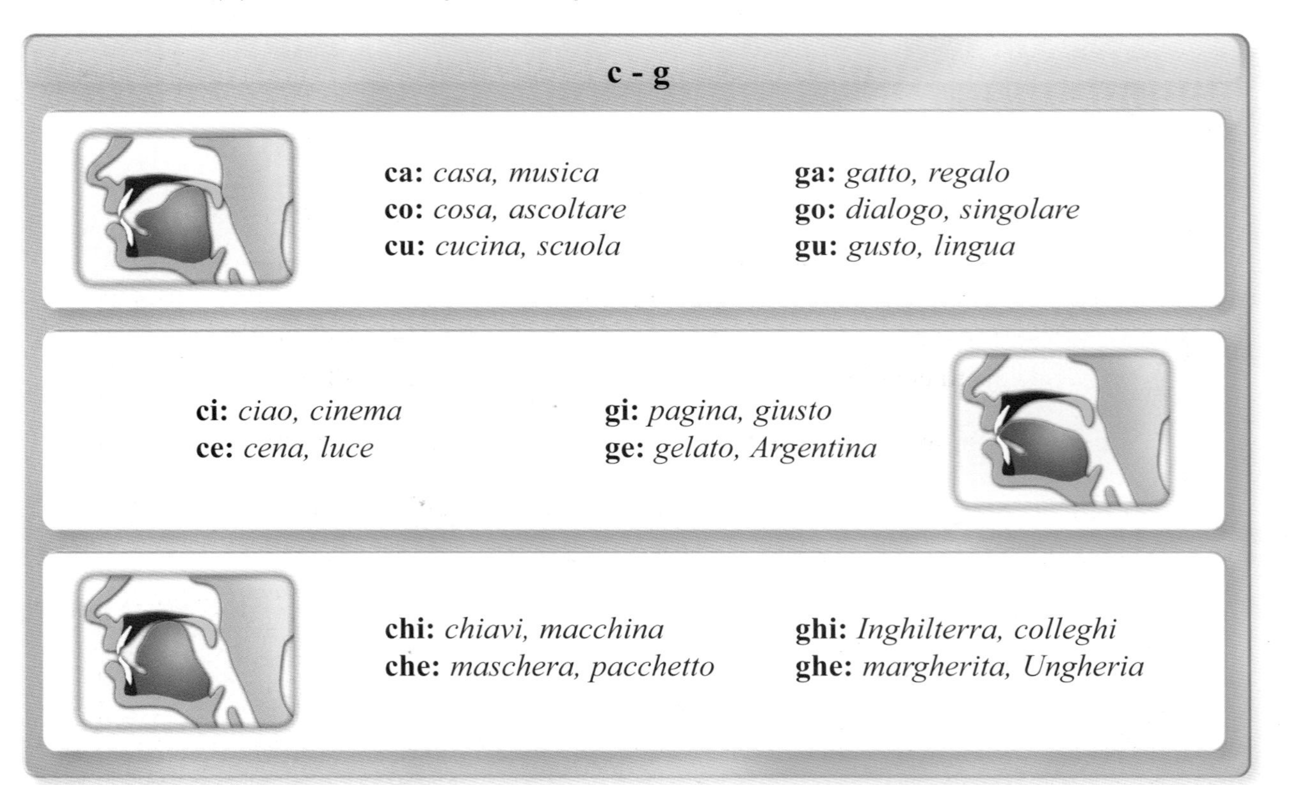

c - g

ca: *casa, musica*
co: *cosa, ascoltare*
cu: *cucina, scuola*

ga: *gatto, regalo*
go: *dialogo, singolare*
gu: *gusto, lingua*

ci: *ciao, cinema*
ce: *cena, luce*

gi: *pagina, giusto*
ge: *gelato, Argentina*

chi: *chiavi, macchina*
che: *maschera, pacchetto*

ghi: *Inghilterra, colleghi*
ghe: *margherita, Ungheria*

6 Ascoltate e scrivete le parole.

B Italiano o italiana?

1 Osservate le immagini e le parole. Cosa notate?

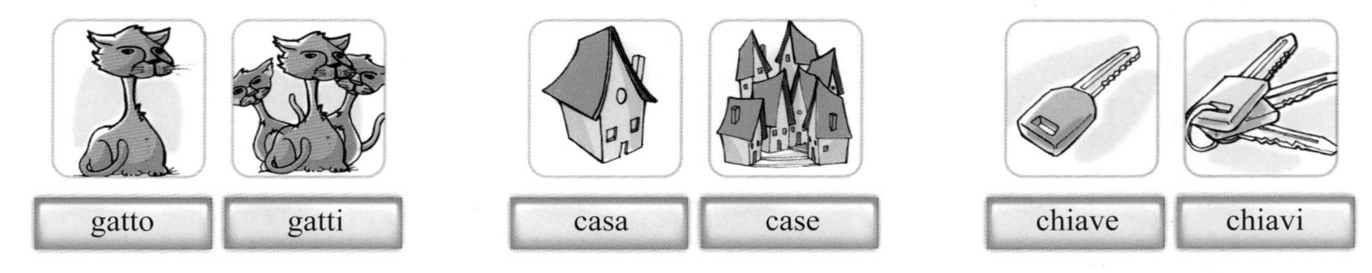

2 Lavorate in coppia. Abbinate parole e immagini e scoprite l'errore!

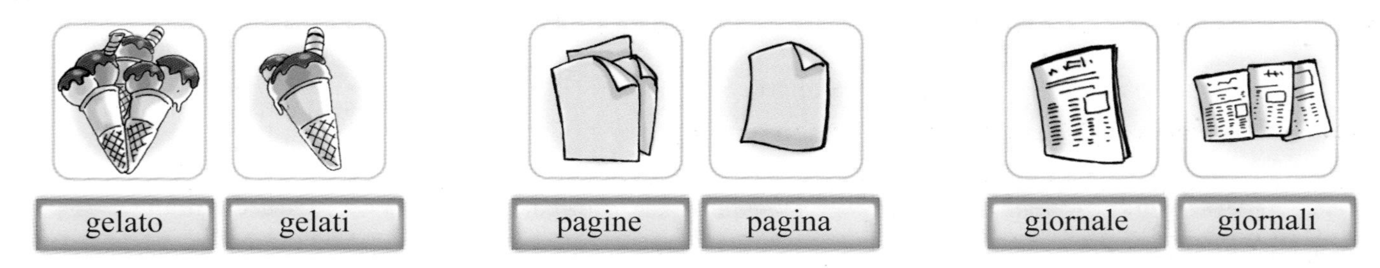

3 Quali sono le desinenze (ultima lettera) del singolare e del plurale? Osservate.

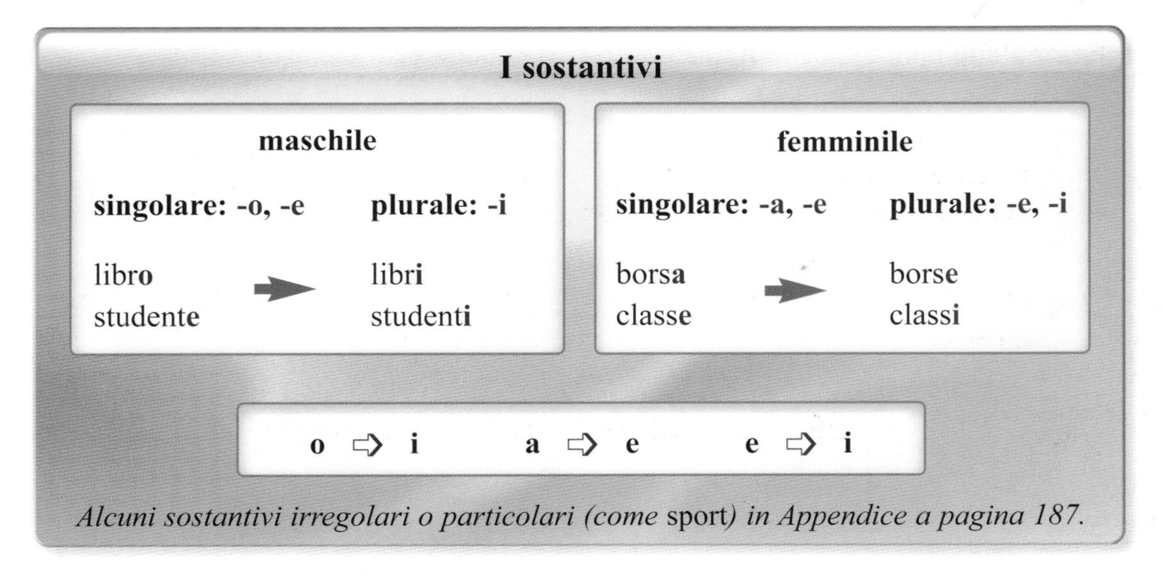

I sostantivi

maschile		femminile	
singolare: -o, -e	**plurale: -i**	**singolare: -a, -e**	**plurale: -e, -i**
libr**o**	libr**i**	bors**a**	bors**e**
student**e**	student**i**	class**e**	class**i**

o ⇨ **i** **a** ⇨ **e** **e** ⇨ **i**

Alcuni sostantivi irregolari o particolari (come sport*) in Appendice a pagina 187.*

4 Mettete i sostantivi al plurale.

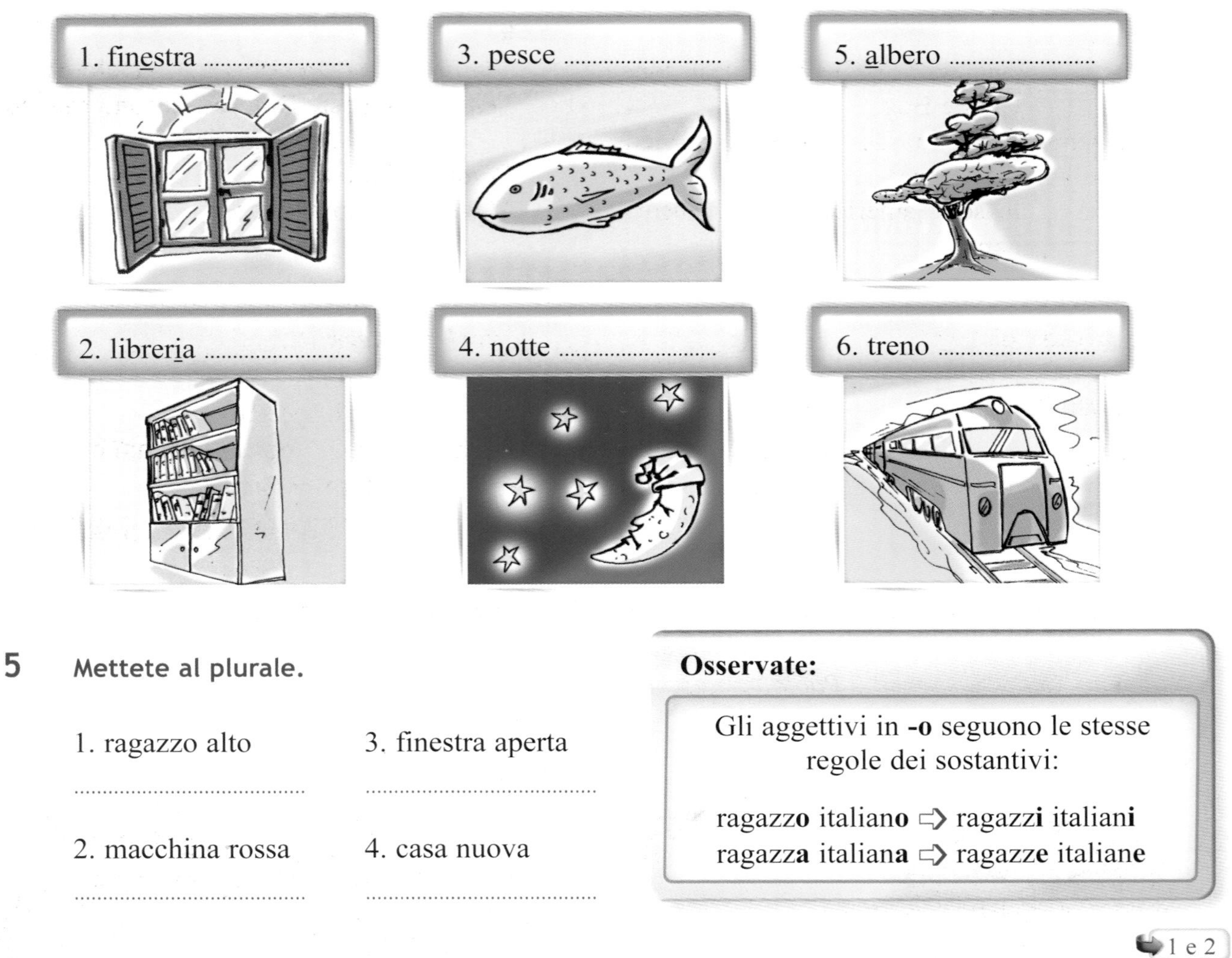

1. finestra ....
2. libreria ....
3. pesce ....
4. notte ....
5. albero ....
6. treno ....

5 Mettete al plurale.

1. ragazzo alto ....
2. macchina rossa ....
3. finestra aperta ....
4. casa nuova ....

Osservate:

Gli aggettivi in **-o** seguono le stesse regole dei sostantivi:

ragazz**o** italian**o** ⇨ ragazz**i** italian**i**
ragazz**a** italian**a** ⇨ ragazz**e** italian**e**

1 e 2

C Ciao, io sono Gianna...

4 **1** Ascoltate i due mini dialoghi. A quale foto corrisponde ogni dialogo?

2 **Lavorate in coppia. Ascoltate di nuovo e completate i dialoghi.**

a.
Stella: Buongiorno, Gianna. Questi sono Gary e Bob.
Gianna: Ciao, io .... Gianna. Siete americani?
Bob: Io sono americano, lui è australiano!

b.
Giorgia: Ciao, questa .... Dolores.
Matteo: Piacere Dolores, io sono Matteo. .... spagnola?
Dolores: Sì, e tu?
Matteo: Sono italiano.

3 **Leggete i dialoghi e completate la tabella.**

Il verbo *essere*

io	....		noi	**siamo**	
tu	**sei**	italiano/a	voi	**siete**	italiani/e
lui, lei	....		loro	**sono**	

4 **Osservate i disegni e oralmente costruite delle frasi come nell'esempio.**

Lui è Paolo, è italiano.

5 **Lavorate in coppia. Costruite dei mini dialoghi come nell'esempio:**
"Ciao, io sono Gàbor. Sono ungherese." "Io sono Helen, sono inglese. Piacere."

6 **Adesso presentate il vostro compagno alla classe.**

3 e 4

7 Pronuncia (2). Ascoltate e ripetete le parole.

s

s: *sorella, sport*
ss: *osservate, espresso*

s: *casa, frase*

sc: *uscita, pesce*
ma: *schema, maschile*

8 Ascoltate e scrivete le parole.

....	....	....	....	....
....	....	....	....	....

D Il ragazzo o la ragazza?

1 Lavorate in coppia. Abbinate le immagini alle frasi ascoltate. Attenzione, ci sono due immagini in più!

2 **Osservate la tabella e completate le frasi che seguono.**

L'articolo determinativo

maschile	
singolare	**plurale**
il ragazzo	**i** ragazzi
l' albero	**gli** alberi
lo studente, zio	**gli** studenti, zii

femminile	
singolare	**plurale**
la ragazza	**le** ragazze
l' isola	**le** isole

1. Questa è .... macchina di Paolo.
2. Ah, ecco .... chiavi!
3. .... studenti d'italiano sono molti.
4. Questo è .... libro di Anna?
5. Il calcio è .... sport che preferisco!
6. Scusi, è questo .... autobus per il centro?

3 **Completate con gli articoli dati.**

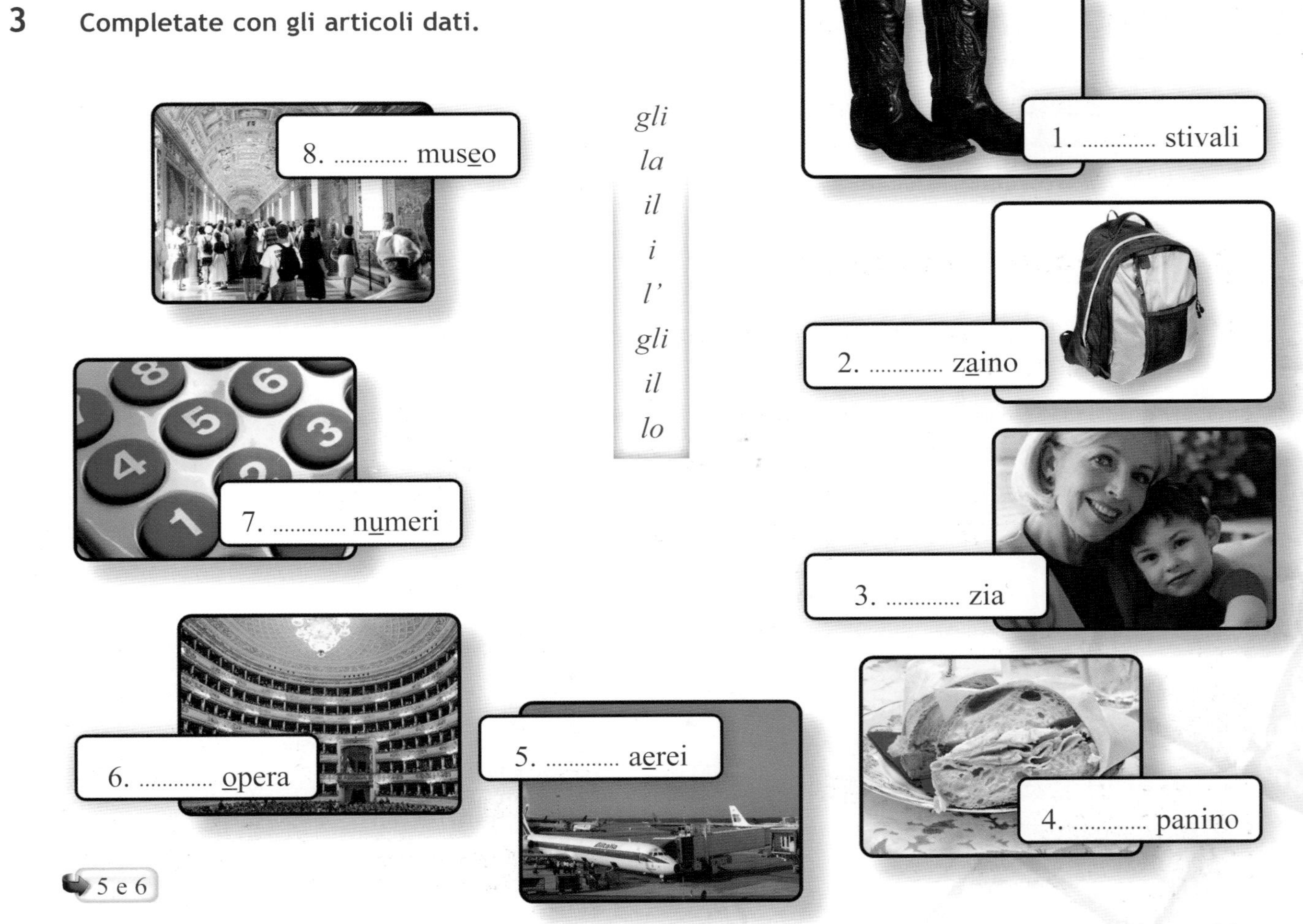

5 e 6

4 **Formate delle frasi come nell'esempio:** "La macchina è rossa".
Nota: potete seguire l'ordine proposto o fare altre combinazioni!

7 - 9

5 **Completate la tabella con i numeri dati.**

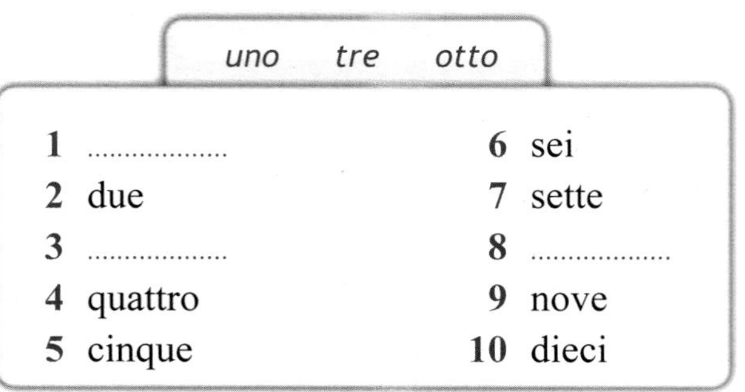

uno tre otto

1	....	**6**	sei
2	due	**7**	sette
3	....	**8**	....
4	quattro	**9**	nove
5	cinque	**10**	dieci

8 **6** **Pronuncia (3). Ascoltate e ripetete le parole.**

gn - gl - z

gn: *bagno, spagnolo*

gl: *famiglia, gli*
ma: *inglese, globale*

z: *zero, zaino*
azione, canzone
zz: *mezzo, azzurro*
pezzo, pizza

9 **7** **Ascoltate e scrivete le parole.**

....

....

E Chi è?

1 **Ascoltate e abbinate i mini dialoghi ai disegni.**

2 **Ascoltate e leggete i dialoghi per verificare le vostre risposte.**

1.
- Chi è questa ragazza?
- La ragazza con la borsa? Si chiama Carla.
- Che bella ragazza!

2.
- Tesoro, hai tu le chiavi di casa?
- Io? No, io ho le chiavi della macchina.
- E le chiavi di casa dove sono?

3.
- Sai, Maria ha due fratelli: Paolo e Dino.
- Davvero? E quanti anni hanno?
- Paolo ha 11 anni e Dino 16.

4.
- Ciao, io mi chiamo Andrea, e tu?
- Io sono Sara.
- Piacere.

3 **Leggete i dialoghi e completate la tabella.**

Il verbo *avere*

io	**ho**		noi	**abbiamo**	
tu	**hai**	22 anni	voi	**avete**	il libro
lui, lei	....		loro	....	

Osservate:

io	mi chiamo	Marco
tu	ti chiami	Sofia
lui, lei	si chiama	Roberto/a

4 **Abbinate le frasi.**

1. Quanti anni hai?
2. E tu come ti chiami?
3. Hai fratelli?
4. Ciao, io mi chiamo Matteo.

a. Sì, un fratello e una sorella.
b. 18.
c. E io sono Paola, piacere.
d. Antonio.

10 - 12

5 **Lavorate in coppia. Completate la tabella con i numeri dati.**

ventiquattro *sedici* *trenta* *ventisette*

11 undici	16	21 ventuno	26 ventisei
12 dodici	17 diciassette	22 ventidue	27 ....
13 tredici	18 diciotto	23 ventitré	28 ventotto
14 quattordici	19 diciannove	24	29 ventinove
15 quindici	20 venti	25 venticinque	30 ....

6 ▷ **Sei *A*: chiedi al tuo compagno:** ▷ **Sei *B*: rispondi alle domande di *A*.**

- *come si chiama*
- *quanti anni ha*
- *come si scrive (lettera per lettera) il suo nome e cognome*

Alla fine *A* riferisce alla classe le risposte di *B* ("Lui/Lei si chiama..., ha...").

13

7 **Pronuncia (4). Ascoltate e ripetete le parole.**

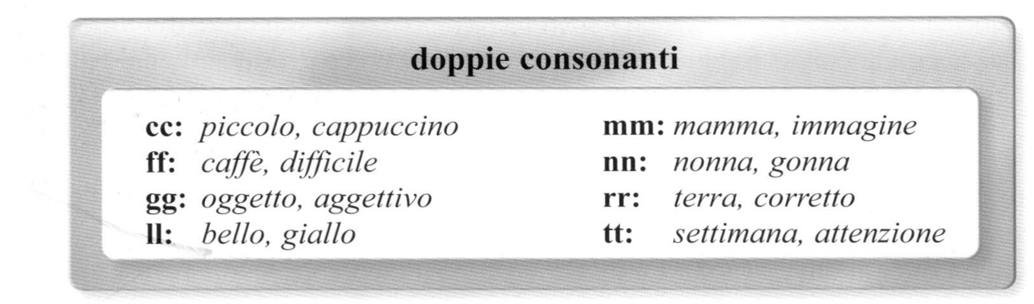

doppie consonanti

cc: *piccolo, cappuccino*	**mm:** *mamma, immagine*
ff: *caffè, difficile*	**nn:** *nonna, gonna*
gg: *oggetto, aggettivo*	**rr:** *terra, corretto*
ll: *bello, giallo*	**tt:** *settimana, attenzione*

8 **Ascoltate e scrivete le parole.**

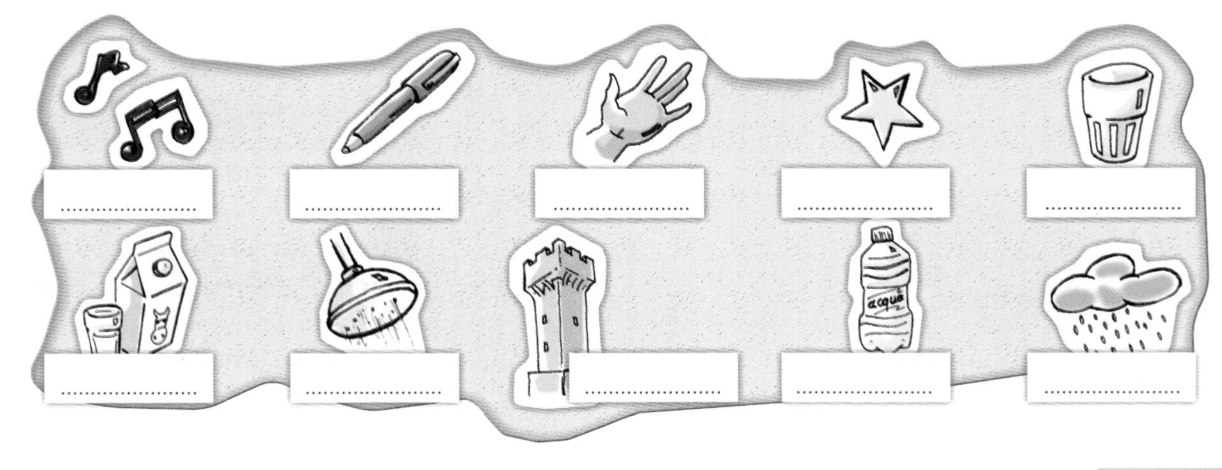

Test finale

Un nuovo inizio

Per cominciare...

1 Osservate le foto e spiegate, nella vostra lingua, quale inizio è più importante per voi. Perché?

un nuovo corso

un nuovo lavoro

una nuova casa

un nuovo amore

2 Quali di queste parole conoscete o capite?

notizia	importante	orario	agenzia
casa	direttore	gentile	fortunata

3 Le parole dell'attività 2 fanno parte di un dialogo fra due ragazze. Secondo voi, di quale inizio parlano?

In questa unità...

1. ...impariamo a chiedere e dare informazioni, a fare conoscenza, a salutare, a descrivere l'aspetto fisico e il carattere di una persona, a usare la forma di cortesia;
2. ...conosciamo il presente indicativo, l'articolo indeterminativo, gli aggettivi in -e;
3. ...troviamo alcune informazioni sull'Italia.

A E dove lavori adesso?

13

1 Ascoltate due volte il dialogo e indicate se le affermazioni sono vere o false.

	V	F
1. Gianna telefona a Maria ogni giorno.		
2. Gianna non ha notizie importanti.		
3. Gianna lavora ancora in una farmacia.		
4. Per tornare a casa Gianna prende il metrò.		

Maria: Pronto?
Gianna: Ciao Maria, sono Gianna!
Maria: Ehi, ciao! Come stai?
Gianna: Bene, e tu?
Maria: Bene. Ma da quanto tempo!
Gianna: Eh, sì, hai ragione. Senti, ho una notizia importante!
Maria: Cioè?
Gianna: Non lavoro più in farmacia!
Maria: Davvero? E dove lavori adesso?
Gianna: In un'agenzia di viaggi.
Maria: Ah, che bello! Sei contenta?
Gianna: Sì, molto. I colleghi sono simpatici, il direttore è gentile, carino...
Maria: Hmm... E l'orario?
Gianna: L'orario d'ufficio: l'agenzia apre alle 9 e chiude alle 5.
Maria: E a casa a che ora arrivi?
Gianna: Ah, sono fortunata: quando finisco di lavorare, prendo il metrò e dopo venti minuti sono a casa.
Maria: Brava Gianna! Sono contenta per te.

2 Leggete.

Lavorate in coppia. Assumete i ruoli di Maria e Gianna e leggete il dialogo.

3 Rispondete oralmente alle domande.

1. Qual è la bella notizia di Gianna?
2. Dove lavora adesso?
3. È contenta del nuovo lavoro?

4 Completate il dialogo con i verbi dati.

Maria: E adesso?
Gianna: Adesso ....lavoro.... in un'agenzia di viaggi.
Maria: Ah, bene! Com'è?
Gianna: Tutto bene, i colleghi, il direttore...
Maria: E l'orario? A che ora .... l'agenzia?
Gianna: Alle 9 e .... alle 5. Poi io .... il metrò che è molto vicino.
Maria: A che ora .... a casa?
Gianna: Mah, 20 minuti dopo.

chiude
arrivi
lavoro
apre
prendo

5 Lavorate in coppia. Inserite i verbi dati nell'attività 4 accanto al pronome personale giusto.

io ....
tu ....
lui/lei ....

6 **Completate la tabella.**

Il presente indicativo

	1ª coniugazione **-are**	2ª coniugazione **-ere**	3ª coniugazione **-ire**	
	lavorare	***prendere***	***aprire***	***finire***
io	....	prend**o**	apr**o**	fin**isco**
tu	lavor**i**	....	apr**i**	fin**isci**
lui lei Lei	lavor**a**	prend**e**	....	fin**isce**
noi	lavor**iamo**	prend**iamo**	apr**iamo**	fin**iamo**
voi	lavor**ate**	prend**ete**	apr**ite**	fin**ite**
loro	lavor**ano**	prend**ono**	apr**ono**	fin**iscono**

Nota: come aprire: *dormire, offrire, partire, sentire* ecc.
come finire: *capire, preferire, spedire, unire, pulire, chiarire, costruire* ecc.

7 **Rispondete alle domande secondo l'esempio.**

Con chi parli? *(con Giorgio)* ➪ *Parlo con Giorgio.*

1. Che tipo di musica ascolti? *(musica italiana)*
2. Quando arrivi? *(oggi)*
3. Che cosa guardano Anna e Marta? *(la televisione)*
4. Cosa prendete da mangiare? *(gli spaghetti)*
5. Capisci tutto quando parla l'insegnante? *(molto)*
6. Quando partite per Perugia? *(domani)*

1 - 7

B Un giorno importante!

1 **Leggete l'e-mail di Luca e abbinate le due colonne. Attenzione: c'è una frase in più nella colonna a destra!**

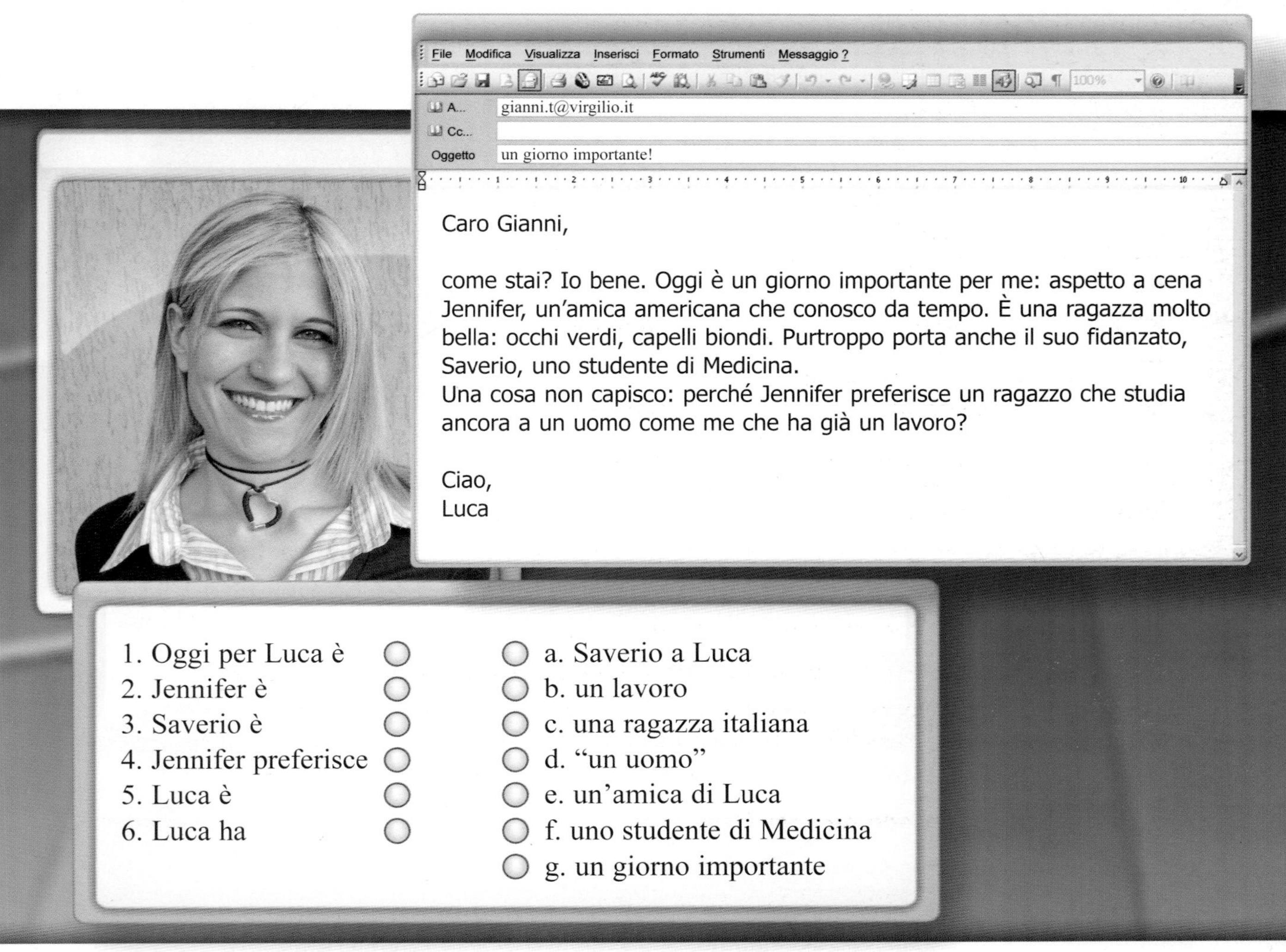

Caro Gianni,

come stai? Io bene. Oggi è un giorno importante per me: aspetto a cena Jennifer, un'amica americana che conosco da tempo. È una ragazza molto bella: occhi verdi, capelli biondi. Purtroppo porta anche il suo fidanzato, Saverio, uno studente di Medicina.
Una cosa non capisco: perché Jennifer preferisce un ragazzo che studia ancora a un uomo come me che ha già un lavoro?

Ciao,
Luca

1. Oggi per Luca è ○
2. Jennifer è ○
3. Saverio è ○
4. Jennifer preferisce ○
5. Luca è ○
6. Luca ha ○

○ a. Saverio a Luca
○ b. un lavoro
○ c. una ragazza italiana
○ d. "un uomo"
○ e. un'amica di Luca
○ f. uno studente di Medicina
○ g. un giorno importante

2 **Osservate la tabella e poi completate il testo che segue con l'articolo indeterminativo.**

L'articolo indeterminativo

maschile		femminile	
un	palazzo amico	**una**	ragazza studentessa
uno	studente zaino	**un'**	amica edicola

Caro diario,

oggi è .... giornata importante. Aspettiamo a cena Saverio, ... amico di mio fratello. È .... ragazzo molto bello: occhi verdi, capelli castani, alto e intelligente. Purtroppo porta anche la sua fidanzata, Jennifer, ... studentessa di Lettere, ... ragazza alta e bionda.
Ma perché Saverio preferisce .... donna come tante a .... ragazza speciale come me? Forse perché ho solo 15 anni?

3 **Sostituite l'articolo determinativo con quello indeterminativo.**

1. il ragazzo alto
2. lo stipendio basso
3. l'orario pesante
4. l'attore famoso
5. la domanda difficile
6. il viso bello
7. l'idea interessante
8. la giornata bella
9. il corso d'italiano

8 e 9

4 **Nel diario leggiamo:** "una giornata importante", "un ragazzo intelligente", "una ragazza speciale". **Che cosa notate? Osservate la tabella.**

Aggettivi in -e

il libr**o** / la stori**a** — interessant**e**	l'uom**o** / l'ide**a** — intelligent**e**	il tem**a** / la partit**a** — difficil**e**
i libr**i** / le stori**e** — interessant**i**	gli uomin**i** / le ide**e** — intelligent**i**	i tem**i** / le partit**e** — difficil**i**

5 **Con i sostantivi e gli aggettivi dati formate frasi come questa:** "I ragazzi sono intelligenti".

casa dialogo libri ragazzi gonne anno

verdi difficili importante grande interessante gentili

10

C Di dove sei?

14 **1 Ascoltate il dialogo del primo incontro tra Jennifer e Saverio, protagonisti delle pagine precedenti. Sottolineate le espressioni che usano i due ragazzi per chiedere informazioni.**

Jennifer: Scusa, per andare in centro?
Saverio: ...In centro? Eh... prendi il 12 e scendi dopo quattro o cinque fermate...
Jennifer: Grazie!
Saverio: Prego! Sei straniera, vero?
Jennifer: Sì, sono americana, di Chicago.
Saverio: Chicago... e sei qui per lavoro?
Jennifer: No, per studiare. Sono qui da due giorni.
Saverio: Allora ben arrivata! Io mi chiamo Saverio.
Jennifer: Io sono Jennifer, piacere.
Saverio: Piacere. Complimenti, parli bene l'italiano!
Jennifer: Grazie!
Saverio: Ah... e abiti qui vicino?
Jennifer: Sì, in via Verdi.
Saverio: Davvero? Anch'io!
Jennifer: Allora... a presto!
Saverio: A presto! Ciao!

2 Rispondete alle domande.

1. Di dov'è Jennifer?
2. Perché è in Italia?
3. Dove abita?

3 Completate i mini dialoghi con le domande.

FERMATA

- ....?
- Prendi il 12 e scendi all'ultima fermata.

- ....?
- No, sono spagnola.

- ....?
- Sono di Malaga.

- ....?
- No, sono in Italia per lavoro.

- ....?
- In via delle Belle Arti.

VIA DELLE BELLE ARTI

Chiedere informazioni	Dare informazioni
Scusa, per arrivare / andare...?	*Prendi l'autobus e...*
Sei straniero, vero?	*Sì, sono francese.*
Di dove sei?	*Sono di Napoli.*
Sei qui per studiare?	*Sono in Italia per motivi di lavoro.*
Da quanto tempo sei qui / studi l'italiano?	*Sono in Italia / studio l'italiano da 2 anni.*
Dove abiti?	*Abito in via Giulio Cesare, al numero 3.*

Role-play

4 ▷ **Sei *A*: chiedi al tuo compagno:**

- *se è straniero*
- *di dove è*
- *da quanto tempo studia l'italiano*
- *dove abita*

▷ **Sei *B*: rispondi alle domande di *A*.**

11 e 12

D Ciao Maria!

1 Osservate le foto. Secondo voi, che cosa hanno in comune?

15 **2** Ascoltate i mini dialoghi e indicate a quali foto corrispondono. Dopo ascoltate di nuovo e verificate le vostre risposte.

Salutare

Buongiorno!
Buon pomeriggio!
Buonasera!
Buonanotte!
Ciao! (informale)
Salve! (informale)
Ci vediamo! (informale)
Arrivederci!
ArrivederLa! (formale)

3 **Immaginate i dialoghi adatti alle seguenti situazioni.**

Role-play

4 ▷ **Sei *A*: saluta un amico:**

- *all'università la mattina*
- *quando esci dalla biblioteca alle 15*
- *al bar verso le 18*
- *quando esci dall'ufficio alle 20*
- *dopo una serata in discoteca*

▷ **Sei *B*: rispondi ai saluti di *A*.**

E Lei, di dov'è?

1 Leggete il dialogo e rispondete alle domande.

signore: Scusi, sa dov'è via Alberti?
signora: No, non abito qui, sono straniera.
signore: Straniera?! Complimenti! Ha una pronuncia tutta italiana! Se permette, di dov'è?
signora: Sono svizzera.
signore: Ah, ed è qui in vacanza?
signora: Sì, ma non è la prima volta che visito l'Italia.
signore: Ah, ecco perché parla così bene l'italiano. Allora... arrivederLa, signora!
signora: ArrivederLa!

1. Cosa chiede il signore? 2. Di dov'è la signora? 3. Perché è in Italia?

2 Leggete i due dialoghi e osservate le differenze.

a.

Jennifer: Scusa, per andare in centro?
Saverio: ...In centro? Eh... prendi il 12 e scendi dopo quattro o cinque fermate...
Jennifer: Grazie!
Saverio: Prego! Sei straniera, vero?

b.

signore: Scusi, sa dov'è via Alberti?
signora: No, non abito qui, sono straniera.
signore: Straniera?! Complimenti! Ha una pronuncia tutta italiana! Se permette, di dov'è?

In italiano è possibile *dare del tu* ad una persona (come nel dialogo **a.**) **oppure *dare del Lei*** (come nel dialogo **b.**)**, con il verbo alla terza persona singolare. Quest'ultima è la forma di cortesia. Esiste una forma simile nella vostra lingua?**

Role-play

3 ▷ **Sei *A*: cominciando con** "Scusi, signore / signora / signorina...?" **chiedi a qualcuno che non conosci tanto bene:**

- *come si chiama*
- *se studia o lavora*
- *quanti anni ha*
- *se abita vicino*

▷ **Sei *B*: rispondi ad *A* e continua:** "E Lei?". ***A* risponde.**

F Com'è?

1 **Lavorate in coppia. Osservate queste parole e sottolineate gli aggettivi.**

bello simpatico capelli lungo occhio azzurro naso biondo

2 **Mettete in ordine il dialogo e poi ascoltatelo.**

1 Com'è Gloria? Bella?

☐ E come sono i nasi alla francese?

☐ Bruna e ha i capelli non molto lunghi. Ha gli occhi azzurri e il naso alla francese.

☐ Come quello di Gloria!

☐ Sì, è alta e abbastanza magra. È anche molto simpatica.

☐ È bionda o bruna?

3 **Inserite gli aggettivi che mancano.**

L'aspetto...

è... / non è molto...

.... basso

giovane

vecchio

brutto

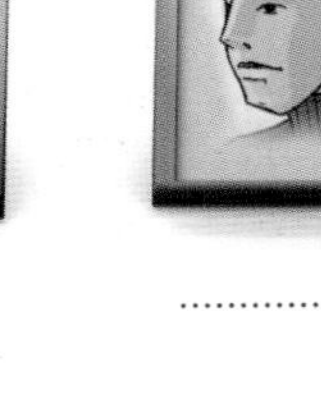

....

ha i capelli:

corti

....

biondi

....

rossi

ha gli occhi:

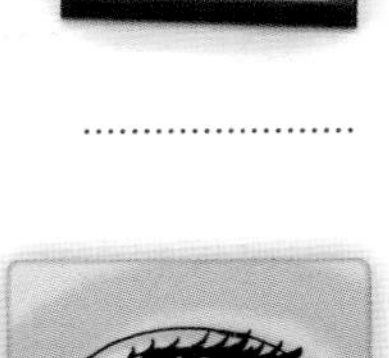

....

castani

neri

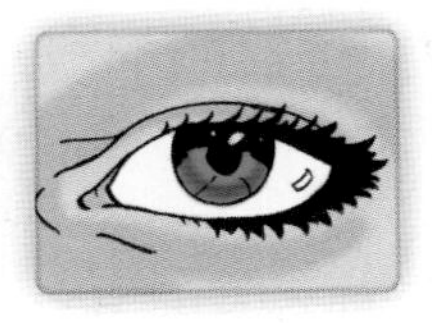

verdi

...e il carattere

è... / sembra...

.... # antipatico allegro # triste scortese # gentile

13 e 14

4 Un viso famoso. Completate con queste parole: i capelli l'occhio il naso

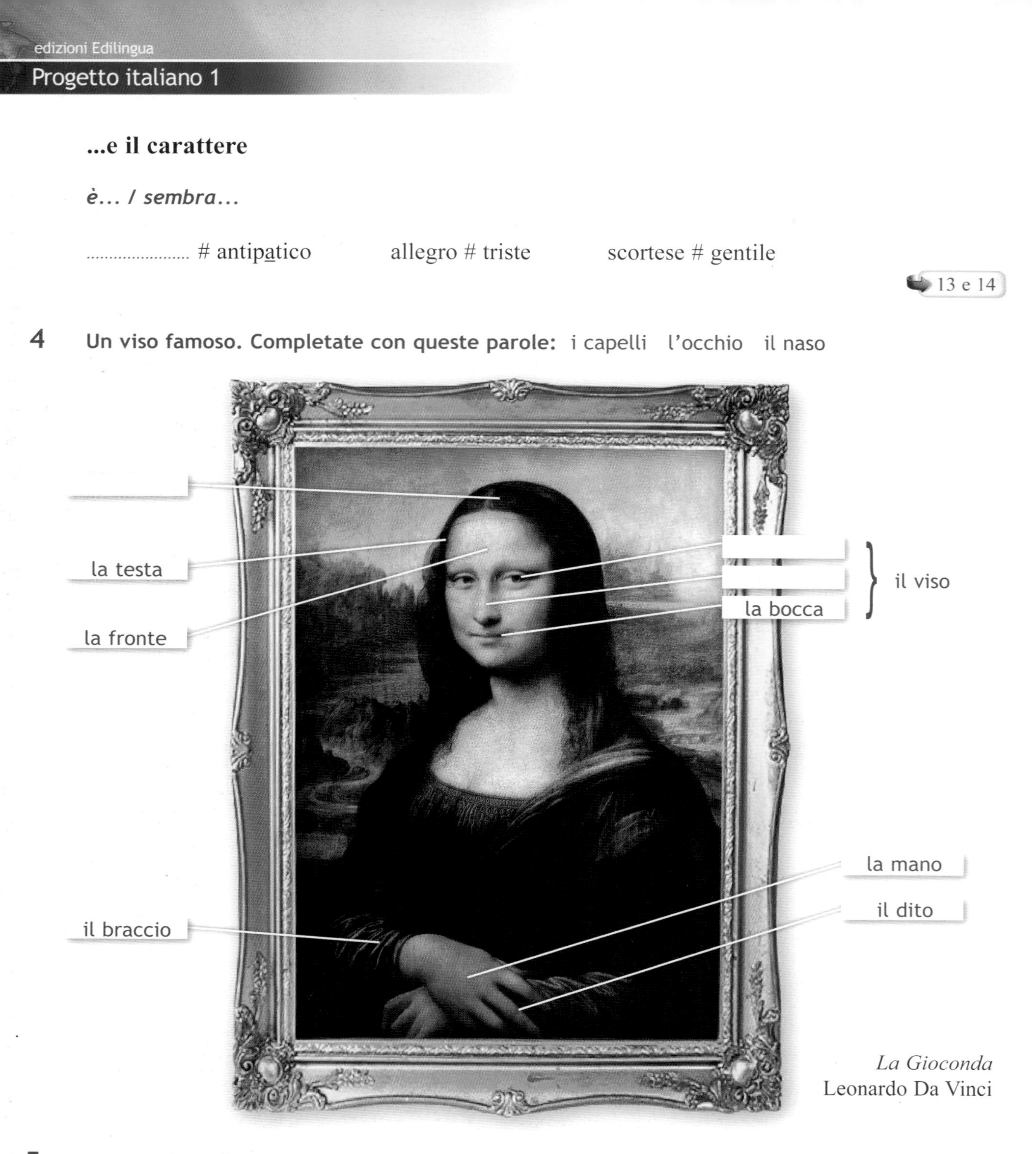

La Gioconda
Leonardo Da Vinci

5 A turno descrivete:

Role-play

a. voi stessi
b. un vostro compagno, senza dire il nome: gli altri devono capire chi è!

6 Scriviamo

Descrivi il tuo miglior amico (nome, età, carattere, aspetto, da quanto tempo siete amici ecc.). *(40-50 parole)*

Test finale

L'Italia: regioni e città

1. Quali città italiane conoscete? Dove sono? Cosa sapete di queste città?
2. Osservate la cartina. Quante regioni (come per esempio il Lazio) ha l'Italia? Quali sono le 3 regioni più grandi e quali le 3 più piccole?

Autovalutazione

Che cosa ricordate delle unità introduttiva e 1?

1. Sai...? Abbinate le due colonne.

1. salutare
2. descrivere l'aspetto
3. dire l'età
4. dare informazioni
5. descrivere il carattere

a. *Buonasera Stefania!*
b. *Abitiamo in via Paolo Emilio, 28.*
c. *È una bella ragazza.*
d. *Luca è un tipo allegro.*
e. *Paolo ha 18 anni.*

2. Abbinate le frasi.

1. Parli molto bene l'italiano!
2. Ciao, come stai?
3. Io mi chiamo Giorgio.
4. Scusi, di dov'è?
5. Sei qui in vacanza?

a. No, per studiare l'italiano.
b. Grazie!
c. Sono spagnolo.
d. Piacere, Stefania.
e. Molto bene e tu?

3. Completate.

1. Il contrario di *alto*: ....
2. Due regioni italiane: ....
3. La seconda persona singolare di *capire*: ....
4. La seconda persona plurale di *avere*: ....

4. Scoprite le sei parole nascoste.

a r o n a s o t r i t e t r e n t a p o t t e s t a z u b i o n d e g e n o r a r i o p l i s e d i c i

Controllate le soluzioni a pagina 191. Siete soddisfatti?

La Fontana di Trevi, Roma

Come passi il tempo libero?

Per cominciare...

1 Osservate le foto. Quali di queste cose amate fare nel tempo libero?

2 Il primo dialogo di questa unità è un'intervista a Eros Ramazzotti. Che cosa sapete di lui? Secondo voi, come passa il tempo libero?

17 3 Ascoltate una prima volta l'intervista (non è importante capire tutto) e confermate le vostre ipotesi. Di che cosa parla Ramazzotti?

In questa unità...

1. *...impariamo a invitare, ad accettare/rifiutare un invito, a chiedere e dire l'ora, a chiedere e dire che giorno è, a descrivere l'abitazione, i numeri cardinali da 30 a 2.000 e i numeri ordinali (1°, 2° ecc.);*
2. *...conosciamo alcuni verbi irregolari del presente indicativo, i verbi modali e alcune preposizioni;*
3. *...troviamo informazioni sui mezzi di trasporto urbano in Italia.*

A Un'intervista

La rivista *Max* intervista Eros Ramazzotti.

1 Ascoltate di nuovo il dialogo e indicate le affermazioni corrette.

1. Eros Ramazzotti
   - a. esce molto spesso la sera
   - b. è un tipo sportivo
   - c. non ha molti amici

2. Il fine settimana
   - a. va a Roma
   - b. va sempre all'estero
   - c. va al lago

Max: *Caro Eros, sappiamo tutto sulla tua carriera, ma poco della tua vita privata. Per esempio, che cosa fai nel tempo libero?*

Eros: Eh, purtroppo non ho molto tempo libero. A dire la verità, spesso sto a casa. Ma quando posso, gioco a calcio. Come molti sanno, gioco ancora nella nazionale cantanti. Inoltre, qualche volta esco con gli amici più intimi.

Max: *E dove andate quando uscite?*

Eros: Mah, a mangiare o a bere qualcosa. Quando, invece, non ho voglia di uscire, sono gli amici che vengono da me: ascoltiamo musica o guardiamo un po' la tv.

Max: *E i fine settimana, cosa fai?*

Eros: Come sai io amo molto la natura e quando posso vado al lago di Como dove ho una casa. Se viene qualche amico, facciamo delle gite o andiamo a pescare. Ma spesso sono in tournée all'estero. La settimana prossima, per esempio, vado in Francia e in Spagna per due concerti: uno a Parigi e uno a Barcellona.

2 Leggete.

Lavorate in coppia. Assumete i ruoli della giornalista di *Max* e di Eros Ramazzotti e leggete l'intervista.

3 Rispondete alle domande.

1. Dove va di solito Eros quando esce?
2. Cosa fa quando resta a casa con gli amici?
3. Come passa il tempo Eros quando va sul lago di Como?

4 Leggete di nuovo l'intervista e completate la tabella.

Presente indicativo
Verbi irregolari (1)

	andare		**venire**	
io	....		**vengo**	
tu	**vai**	al cinema	**vieni**	a Firenze
lui, lei, Lei	**va**		....	
noi	**andiamo**		**veniamo**	
voi	....	a Roma	**venite**	a casa
loro	**vanno**		....	

5 Completate con i verbi *andare* e *venire*.

1. Ma perché Tiziana e Mauro .... in centro a quest'ora?
2. Ragazzi, stasera noi .... a ballare, voi che fate?
3. Noi non .... con voi al cinema, siamo stanchi.
4. Carla, a che ora .... a scuola la mattina?
5. Quando .... dall'aeroporto Paolo?
6. Domani .... con te a Milano.

1 e 2

6 **Lavorate in coppia: cercate nell'intervista i verbi per completare la tabella.**

Presente indicativo
Verbi irregolari (2)

	dare	**sapere**	**stare**
io	do	so	....
tu	dai	....	stai
lui, lei, Lei	dà	sa	sta
noi	diamo	sappiamo	stiamo
voi	date	sapete	state
loro	danno	sanno	stanno
	uscire	**fare**	**giocare**
io	....	faccio	....
tu	esci	fai	gio**chi**
lui, lei, Lei	esce	fa	gioca
noi	usciamo	....	gioc**h**iamo
voi	uscite	fate	giocate
loro	<u>e</u>scono	fanno	gi<u>o</u>cano

Nota: *Il verbo* giocare *(come il verbo* pagare*) è regolare ma, come vedete, presenta una particolarità. Altri verbi in Appendice a pagina 188.*

7 **Rispondete alle domande secondo il modello.**

Cosa fai stasera? *(uscire / con Paolo)* ⇨ *Esco con Paolo.*

1. Qual è la prima cosa che fate la mattina? *(fare / colazione)*
2. Perché dite questo? *(perché / sapere / la verità)*
3. Chi paga questa volta? *(oggi / noi)*
4. Come stanno i tuoi genitori? *(stare / molto bene)*
5. Che fa Dino stasera? *(uscire / con gli amici)*
6. Cosa fanno i ragazzi dopo la lezione? *(giocare / a calcio)*

3 - 5

B Vieni con noi?

18

1 Leggete e ascoltate i mini dialoghi.

- Alessio, vieni con noi in discoteca stasera?
- Purtroppo non posso, devo studiare.
- Ma dai, oggi è venerdì!
- Non è che non voglio, è che davvero non posso!

- Che fai domani? Andiamo al mare?
- Sì, volentieri! Con questo bel tempo non ho voglia di restare in città.

- Carla, domani pensiamo di andare a teatro. Vuoi venire?
- Certo! È da tempo che non vado a teatro!

- Senti, che ne dici di andare alla Scala stasera? Ho due biglietti!
- Mi dispiace. Purtroppo non posso. Mia madre non sta molto bene e voglio restare con lei.

2 Completate con le espressioni del punto 1.

- Io e Maria pensiamo di andare al cinema. ....?
- .... È un'ottima idea.

- ....?
- Mi dispiace, non posso.

- ....?
- Volentieri!

- Ho due biglietti per il concerto di Bocelli. Ci andiamo?
- ....

- Che ne dici di andare a Venezia per il fine settimana?
- ....

Invitare	**Accettare un invito**	**Rifiutare un invito**
Vieni...? *Vuoi venire...?* *Andiamo...?* *Che ne dici di...?*	*Sì, grazie! / Con piacere!* *Certo! / Volentieri!* *D'accordo!* *Perché no?* *È una bella idea.*	*Mi dispiace, ma non posso.* *Purtroppo non posso.* *No, grazie, devo...*

Role-play

3 ▷ Sei *A*: osserva i disegni e invita *B*:

a mangiare la pizza

ad una mostra d'arte

a fare le vacanze insieme

a fare spese insieme

un fine settimana al mare

a guardare la tv

▷ Sei *B*: accetta o rifiuta gli inviti di *A*.

C Scusi, posso entrare?

1 Osservate queste frasi.

2 Completate la tabella.

I verbi modali

Potere

Scusi, **posso** entrare?
Gianna, ... aspettare un momento?
Professore, **può** ripetere, per favore?
Purtroppo non **possiamo** venire a Firenze con voi.
Ragazzi, **potete** entrare, prego.
Marta e Luca non **possono** uscire stasera.

+ infinito

Volere

Sai che cosa **voglio** fare oggi? Una gita al mare.
Ma perché non .... restare a pranzo con noi?
Ma dove **vuole** andare a quest'ora Paola?
Stasera noi non **vogliamo** fare tardi.
Volete bere un caffè con noi?
Secondo me, loro non **vogliono** venire.

+ infinito

Dovere

Stasera **devo** andare a letto presto.
Per l'ospedale .... girare a destra.
Domani Gianfranco **deve** fare un viaggio importante.
Secondo me, **dobbiamo** girare a sinistra.
Quando **dovete** partire per gli Stati Uniti?
I ragazzi **devono** tornare a casa presto.

+ infinito

3 Rispondete alle domande secondo il modello.

Perché non vieni con noi? *(dovere studiare)*
➪ *Perché devo studiare.*

1. Perché Gianna è triste? *(non potere venire a Genova con noi)*
2. Cosa fai sabato mattina? *(volere andare in montagna)*
3. A che ora dovete tornare a casa? *(dovere tornare alle sei)*
4. Vengono anche Dino e Matteo? *(purtroppo non potere)*
5. Perché Carla studia tante ore? *(volere superare l'esame)*
6. Ma dove va Patrizia? *(dovere tornare a casa presto)*

➥ 6 - 8

D Dove abiti?

1 **Leggete il dialogo tra Gianni e Carla e rispondete alle domande.**

Gianni: Ciao Carla, come va?
Carla: Oh, ciao Gianni. Bene, grazie e tu?
Gianni: Bene. Senti, sabato sera organizzo una piccola festa a casa mia. Vieni?
Carla: Sabato sera... Sì, certo! ...Solo che non so dove abiti.
Gianni: In via Giotto, 44.
Carla: ...Via Giotto... Dov'è, in centro?
Gianni: No, è in periferia, vicino allo stadio. Se vieni in autobus, prendi il 60.
Carla: Ah, il 60. Ma è una casa o un appartamento?
Gianni: Un appartamento al quinto piano.
Carla: Con ascensore spero! E com'è?
Gianni: È comodo e luminoso, con un grande balcone.
Carla: Allora, sei fortunato. Il mio appartamento è piccolo: camera da letto, cucina e bagno. E pensare che pago 400 euro d'affitto. Tu, paghi molto?
Gianni: 650 euro al mese, ma ne vale la pena. Vedi, il palazzo è nuovo e moderno.

1. Dove abita Gianni?
2. Com'è il suo appartamento?
3. Com'è l'appartamento di Carla?
4. Quanto pagano d'affitto i due ragazzi?

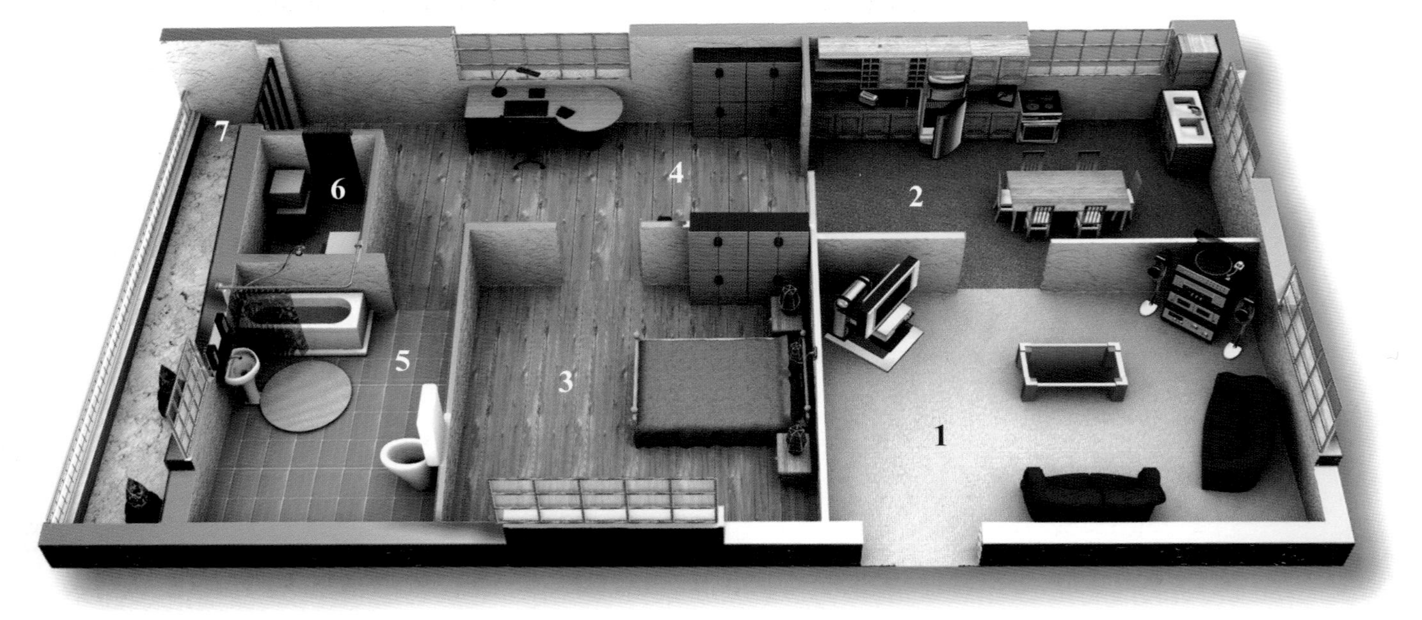

2 **Osservate l'appartamento di Gianni e scrivete le stanze che mancano.**

1. soggiorno (salotto) 2. .... 3. ....
4. studio 5. .... 6. ripostiglio 7. balcone

3 **Fate una descrizione del vostro appartamento o della vostra casa ideale: dov'è, quante camere ha, a quale piano è, se è grande, comodo/a, luminoso/a, moderno/a ecc.**

4 I numeri cardinali 30 - 2.000

30	trenta	300	trecento
31	trentuno	400	quattrocento
40	quaranta	500	cinquecento
50	cinquanta	600	seicento
60	sessanta	700	settecento
70	settanta	800	ottocento
80	ottanta	900	novecento
90	novanta	1.000	mille
100	cento	1.900	millenovecento
200	duecento	2.000	duemila

I numeri ordinali

1°	primo
2°	secondo
3°	terzo
4°	quarto
5°	quinto
6°	sesto
7°	settimo
8°	ottavo
9°	nono
10°	decimo

Nota: dall'**11** in poi tutti i numeri finiscono in ***-esimo***: ***undicesimo*** (Appendice, pagina 188)

9

E Vado in Italia.

1 Osservate alcune frasi di questa unità e poi la tabella che segue:

"vado in Francia", "è in centro", "se vieni in autobus"

Le preposizioni (1)

vado (sono)	**in**	Italia, Spagna, Sicilia centro, ufficio, montagna, banca, città, farmacia, vacanza autobus, macchina, treno
	a	Roma, Parigi, Londra casa, letto, teatro, cena, scuola, una festa studiare, fare spese, ballare, lavorare, piedi
	al	cinema, mare, bar, ristorante, primo piano
	da	un amico, Antonio
vengo	**in**	Italia, Germania, aereo, treno
	a	Pisa, casa, teatro
	da	Siena, Napoli, Nicola, te, solo
parto	**da**	Torino, Perugia
	per	Ancona, Barcellona l'Italia, la Francia, gli Stati Uniti
	in	aereo, macchina, treno, autobus, ottobre

Conoscete altre preposizioni?

2 **Rispondete oralmente alle domande secondo il modello.**

Dove andate stasera? *(cinema)* ⇨ *Andiamo al cinema.*

1. Con che cosa vai a Roma? *(aereo)*
2. Dove dovete andare domani? *(centro)*
3. Dove vanno i ragazzi a quest'ora? *(discoteca)*
4. Che fai adesso? Dove vai? *(andare casa)*
5. Da dove viene Lucio? *(Palermo)*
6. Dove va Franco? *(Antonio)*

10 - 13

F Che giorno è?

1 **Lavorate in coppia. Ascoltate il dialogo e segnate sull'agenda gli impegni di Silvia per il 3, il 5 e il 6 del mese.**

19

2 lunedì	3 martedì	4 mercoledì	5 giovedì	6 venerdì	7 sabato
spesa!		*appuntamento con Luca*			*gita in montagna*
lezione d'inglese					**8 domenica**
palestra					*dormire!*

2 **Immaginate un dialogo simile a quello precedente e parlate di quello che fate voi i vari giorni della settimana.**

Role-play

Notate:
lunedì = lunedì prossimo
il lunedì = ogni lunedì

3 Parliamo

1. Hai abbastanza tempo libero o no e perché?
2. Come passi il tuo tempo libero? Dove vai quando esci?

14

G Che ora è? / Che ore sono?

1 Osservate gli orologi.

Sono le nove

Sono le undici e un quarto

Sono le sette meno venti

È l'una

Sono le diciotto e trentacinque

12:00

È mezzogiorno

È mezzanotte

20:50

Sono le venti e cinquanta

È *l'una* **e / meno** *dieci*
È *mezzogiorno* **e / meno** *un quarto*
È *mezzanotte* **e** *mezzo/a (trenta)*

Sono le *quattro* **e / meno** *venti*
Sono le *dodici* **e / meno** *cinque*
Sono le *venti* **e** *trenta*

2 Disegnate le lancette degli orologi.

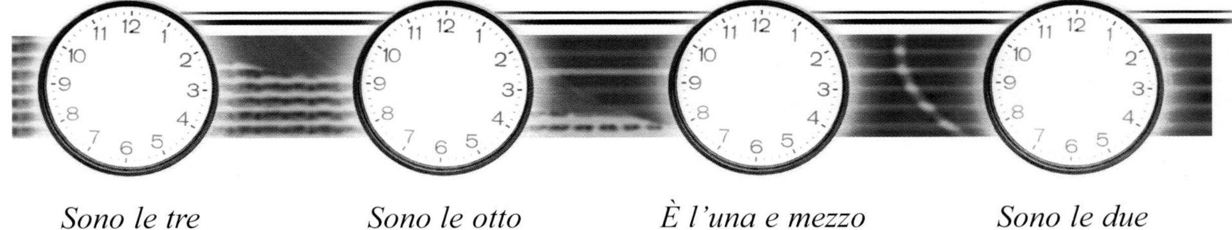

Sono le tre e venti — *Sono le otto meno un quarto* — *È l'una e mezzo* — *Sono le due meno cinque*

3 Formulate le domande e le risposte secondo il modello.

Scusi, signora, che ore sono? *(8:40)* ⇨
Sono le nove meno venti / Sono le otto e quaranta.

 15 Test finale

I mezzi di trasporto urbano*

1 Leggete il testo e indicate le affermazioni esatte.

In Italia i mezzi di trasporto urbano più usati sono l'autobus e il tram, mentre a Roma, a Milano, a Napoli e a Genova c'è anche il metrò. È possibile comprare biglietti in tabaccheria* e al bar e con un biglietto usare più di un mezzo. Nelle stazioni della metropolitana, ma anche ad alcune fermate dell'autobus, ci sono macchinette automatiche per l'acquisto dei biglietti.

In genere i passeggeri* dell'autobus e del tram devono convalidare (timbrare) il biglietto all'inizio della corsa, mentre le macchinette per la convalida del biglietto del metrò si trovano nelle stazioni.

1. Hanno il metrò
   - ☐ a. molte città italiane
   - ☐ b. poche città
   - ☐ c. solo Roma

2. È possibile comprare il biglietto
   - ☐ a. in tabaccheria
   - ☐ b. sul metrò
   - ☐ c. su Internet

3. In genere un passeggero dell'autobus deve convalidare il biglietto
   - ☐ a. prima di salire
   - ☐ b. quando scende
   - ☐ c. appena sale

2 Abbinate le descrizioni alle foto. C'è una foto in più!

1. autobus, 2. tram, 3. fermata dell'autobus, 4. stazione del metrò, 5. linea del metrò, 6. convalida del biglietto

3 Leggete il testo e segnate solo le affermazioni veramente esistenti.

Molti italiani preferiscono usare l'auto e non i mezzi pubblici. Quindi, in alcune grandi città italiane il traffico è un problema grave. A causa delle tante macchine l'atmosfera non è tanto pulita ed è molto difficile trovare parcheggio*. Per fortuna, sempre più persone preferiscono usare il motorino e la bicicletta per andare a scuola, all'università o al lavoro. Infine, c'è anche il taxi (o tassì), un mezzo ovviamente più costoso.

- ☐ 1. Gli italiani usano l'auto per fare gite in campagna.
- ☐ 2. Non è facile trovare parcheggio nelle grandi città.
- ☐ 3. Molti italiani usano la bicicletta o il motorino.
- ☐ 4. Le grandi città hanno gravi problemi.
- ☐ 5. I mezzi di trasporto urbano offrono ottimi servizi.
- ☐ 6. Nelle grandi città non è facile trovare un taxi.

Una domenica senza macchine nel centro di Roma.

4 Parliamo

1. Come sono i mezzi di trasporto urbano del vostro paese/della vostra città? Da voi la gente usa più l'auto o i mezzi?
2. Tu quale mezzo usi per andare al lavoro, a scuola ecc.? Perché?
3. Sono costosi i mezzi pubblici nel vostro paese? Quanto costa un biglietto?

5 Scriviamo

1. Scrivi una lettera ad un amico italiano per raccontare come passi il tuo tempo libero. *(60-80 parole)*
2. Descrivi la tua casa: dove si trova, com'è ecc. *(60-80 parole)*

Glossario: urbano: della città; tabaccheria: negozio che vende tabacchi, biglietti e tanti altri oggetti di uso quotidiano; passeggero: persona che viaggia in autobus, in metrò, in treno ecc.; parcheggio: luogo dove lasciare la macchina.

Autovalutazione
Cosa ricordate delle unità 1 e 2?

1. Sapete...? Abbinate le due colonne.

1. invitare
2. dire l'ora
3. accettare un invito
4. descrivere l'abitazione
5. rifiutare un invito

a. *Grazie, ma purtroppo non posso.*
b. *Andiamo insieme alla festa di Marco?*
c. *Ha un bagno e due camere da letto.*
d. *Certo, perché no?*
e. *Sono le tre e venti.*

2. Abbinate le domande alle risposte.

1. Di dove sei?
2. Quanti anni ha Paolo?
3. Dove abiti?
4. Che tipo è?
5. Dove lavori?

a. In via San Michele, 3.
b. È molto simpatico.
c. Di Roma.
d. In un'agenzia di viaggi.
e. 18.

3. Completate.

1. 4 preposizioni: ....
2. Prima del *sabato*: ....
3. Dopo *sesto*: ....
4. La prima persona singolare di *volere*: ....
5. La prima persona plurale di *fare*: ....

4. Scoprite, in orizzontale e in verticale, le sei parole nascoste.

v	i	o	s	e	s	t	o	p	u
e	x	o	c	c	h	i	o	z	e
n	a	f	f	i	t	t	o	a	n
g	r	a	d	u	e	m	i	l	a
o	e	c	o	m	o	d	o	s	t

Controllate le soluzioni a pagina 191.
Siete soddisfatti?

Il Ponte Vecchio, Firenze

Scrivere e telefonare

Unità 3

Per cominciare...

1 Lavorate in coppia. Abbinate le parole alle immagini.

POSTE

a. posta elettronica b. busta c. posta d. francobollo
e. buca delle lettere f. cellulare

2 Voi quale mezzo usate più spesso per comunicare?

3 Ascoltate il dialogo e indicate le affermazioni veramente presenti.

1. Nicola non riesce a parlare con la sua famiglia al telefono.
2. Orlando consiglia a Nicola di scrivere una lettera.
3. Orlando sa dov'è un internet point.
4. Nicola sa già come fare per mandare un pacco negli Stati Uniti.
5. Nicola ha molti problemi personali.
6. È possibile comprare francobolli in tabaccheria.

In questa unità...

1. ...impariamo a chiedere e dare informazioni sull'orario, a localizzare oggetti nello spazio, a esprimere incertezza e dubbio, a esprimere possesso, a ringraziare e a rispondere ad un ringraziamento, a scrivere un'e-mail o una lettera, i numeri da 1.000 a 1.000.000, i mesi e le stagioni;
2. ...conosciamo le preposizioni articolate e il loro uso, l'articolo partitivo, c'è/ci sono, i possessivi (prima parte);
3. ...troviamo informazioni sul servizio postale e telefonico in Italia.

A Perché non scrivi un'e-mail?

20 **1** **Ascoltate e leggete il dialogo per confermare le vostre risposte all'attività precedente.**

Nicola: Uffa, ho tanto da raccontare alla mia famiglia, ma quando chiamano loro dagli Stati Uniti io ho lezione e quando posso telefonare io loro dormono!

Orlando: Perché non scrivi un'e-mail?

Nicola: Giusto! Ma c'è un internet point qua vicino?

Orlando: Certo... è proprio accanto all'*Odeon*.

Nicola: Il cinema?

Orlando: Appunto.

Nicola: Perfetto! ...Ah no, aspetta, ho anche un altro problema: devo spedire dei libri alla mia ragazza.

Orlando: E perché è un problema?

Nicola: Perché non so come fare... dov'è la posta...

Orlando: Beh, se il pacco è piccolo, forse non è necessario andare alla posta. Vai in tabaccheria, compri una busta grande, i francobolli e poi imbuchi tutto in una cassetta per le lettere.

Nicola: Una busta? Mah... non so, sono quattro libri.

Orlando: Allora meglio un pacco, almeno credo. Devi andare alla posta e chiedere informazioni.

Nicola: Ma dov'è?

Orlando: La posta? ...È vicino al Duomo, in via delle Grazie.

2 A coppie leggete il dialogo. Poi rispondete alle domande.

1. Qual è il problema di Nicola?
2. Dove si trova l'internet point che conosce Orlando?
3. Cosa deve fare Nicola per spedire una busta all'estero?
4. E per spedire 4 libri?

3 Completate queste frasi del dialogo con le preposizioni che mancano.

...quando chiamano loro .... Stati Uniti...

...è proprio accanto .... *Odeon*.

...devo spedire .... libri alla mia ragazza.

...forse non è necessario andare .... posta.

...poi imbuchi tutto .... una cassetta per le lettere.

...È vicino .... Duomo, in via .... Grazie.

4 Lavorate in coppia. Completate la tabella.

Le preposizioni articolate

a+il = **al** · a+i = **ai** a+la = ... · a+le = **alle** a+lo = **allo** · a+gli = **agli** a+l' = ...	in+il = **nel** · in+i = **nei** in+la = ... · in+le = **nelle** in+lo = **nello** · in+gli = ... in+l' = **nell'**
di+il = **del** · di+i = ... di+la = **della** · di+le = ... di+lo = **dello** · di+gli = **degli** di+l' = **dell'**	da+il = **dal** · da+i = **dai** da+la = **dalla** · da+le = **dalle** da+lo = ... · da+gli = **dagli** da+l' = **dall'**
su+il = **sul** · su+i = ... su+la = **sulla** · su+le = **sulle** su+lo = **sullo** · su+gli = **sugli** su+l' = **sull'**	**Ma:** Arriva **con il** treno delle otto. (nella lingua parlata anche **col** treno) Una cassetta **per le** lettere. **Fra gli** studenti c'è anche un brasiliano.

5 **Rispondete alle domande secondo il modello.**

Dove vai? *(da/medico)* ➪ *Dal medico.*

1. Da dove viene Alice?
(da/Olanda)

2. Marta, dove sono i guanti?
(in/cassetto)

3. Di chi sono questi libri?
(di/ragazzi)

4. Dove sono le riviste?
(su/tavolo)

5. Vai spesso al cinema?
(una volta a/mese)

6. Sai dove sono le chiavi?
(in/borsa)

➥ 1 - 5

6 **Osservate la differenza tra le preposizioni semplici e le preposizioni articolate.**

va	**in** Italia,	**e in particolare**	**nell'**Italia del Sud.
	in biblioteca,		**nella** biblioteca comunale.
	a teatro,		**al** teatro *Verdi*.
	in chiesa,		**nella** chiesa di S. Maria delle Grazie.
	in banca,		**alla** Banca Commerciale.
	in ufficio,		**nell'**ufficio del direttore.
	in treno,		**con il** treno delle 10.

➥ 6 - 9

7 **Osservate queste frasi:**

Devo spedire dei libri alla mia ragazza. / Stasera vengono a cena degli amici.

Secondo voi, che significato hanno le parole in blu in queste due frasi? Osservate la tabella che segue per confermare le vostre ipotesi.

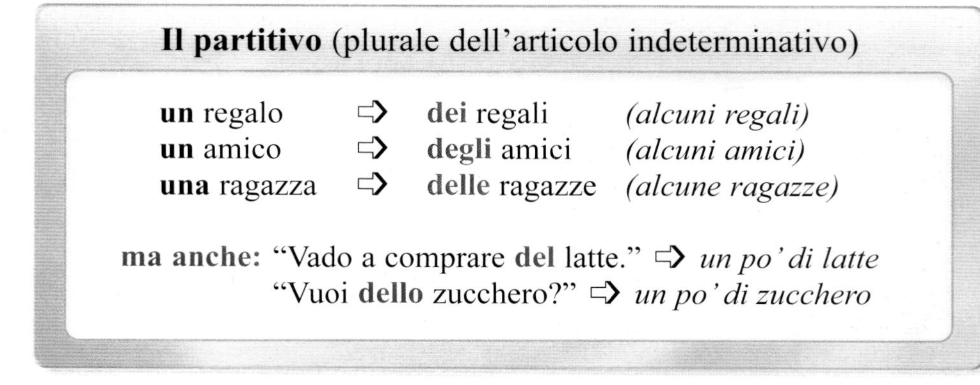

Il partitivo (plurale dell'articolo indeterminativo)

un regalo	➪	**dei** regali	*(alcuni regali)*
un amico	➪	**degli** amici	*(alcuni amici)*
una ragazza	➪	**delle** ragazze	*(alcune ragazze)*

ma anche: "Vado a comprare **del** latte." ➪ *un po' di latte*
"Vuoi **dello** zucchero?" ➪ *un po' di zucchero*

8 Lavorate in coppia e costruite delle frasi con l'articolo partitivo.

10

B A che ora?

21 **1** Ascoltate e abbinate i mini dialoghi alle foto.

a.
- Scusi, a che ora arriva il prossimo treno da Firenze?
- Alle 14.45.
- E a che ora parte l'Intercity per Milano?
- Alle 15.
- Grazie!
- Prego!

b.
- Mauro, sai a che ora chiudono le banche?
- Non sono sicuro, ma penso all'una e mezza.
- E sono aperte anche il pomeriggio?
- Credo dalle tre alle cinque.

c.
- Scusi, a che ora posso trovare il dottor Riotti?
- La mattina dalle 9 alle 13.
- E nel pomeriggio?
- Viene verso le 16 e rimane fino alle 20.

Role-play **2** ▷ Sei *A*: chiedi al tuo compagno:

- *a che ora esce di casa la mattina*
- *a che ora pranza/cena*
- *quando guarda la tv*
- *a che ora esce il sabato sera*
- *qual è l'orario di apertura dei negozi nel suo paese*

▷ Sei *B*: rispondi alle domande di *A*.

3 Guardate le foto e dite a che ora aprono e chiudono i vari negozi e servizi in Italia.

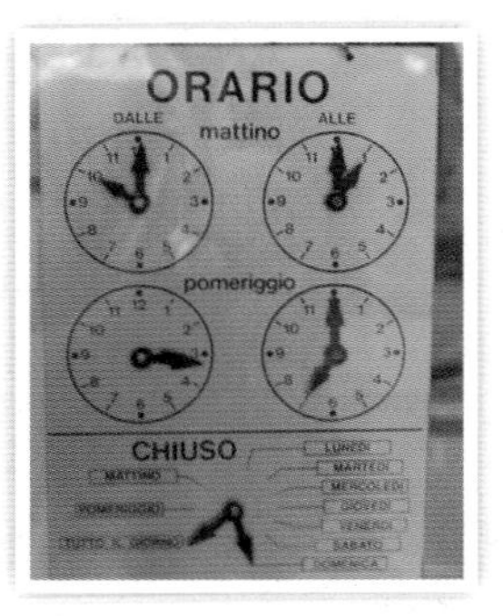

a. biblioteca

b. negozio di abbigliamento

c. farmacia

d. ufficio postale

11 e 12

C Dov'è?

1 Lavorate in coppia. Abbinate le frasi alle immagini.

	1. Dove sono gli abiti? - Dentro l'armadio.
	2. Dov'è il televisore? - Accanto al camino.
a	3. Le sedie? - Intorno al tavolo.
	4. Dov'è la libreria? - È dietro la scrivania.
	5. Il tavolino? - Davanti alla lampada.
	6. Dov'è la maschera? - È sulla parete.
	7. Il divano? - Tra le poltrone.
	8. Dov'è il tappeto? - Sotto il tavolino.
	9. Il quadro? - Sopra il camino.
	10. Dov'è la pianta? - Vicino alla finestra.

a b c d e f g h i l

2 **Osservate la foto e scegliete le parole giuste per ogni frase.**

1. Il divano è *tra il / sotto il* tavolino e la finestra.
2. Il tavolino è *dietro il / davanti al* camino.
3. La finestra è *intorno al / dietro il* divano.
4. Le poltrone sono *a destra del / sopra il* tavolino.
5. *Sopra il / A sinistra del* camino c'è uno specchio.
6. *Sul / Accanto al* divano ci sono dei cuscini.

3 **Osservate le ultime due frasi dell'esercizio precedente. Quando usiamo *c'è* e quando *ci sono*? Completate le frasi.**

- Pronto! Buongiorno, signora Alessi! Sono Piero, ... Matteo?
- Buongiorno, Piero! No, Matteo non c'è. Deve essere ancora all'università.

- È vero che domani non .... autobus?
- Sì, ... uno sciopero generale e la mia macchina è dal meccanico!

- Ciao, Paolo! Sei in ritardo, sai!
- Sì, lo so, ma oggi .... veramente un traffico tremendo: ci sono troppe auto in centro.

13 - 16

4 **Osservate le due immagini e dite quali differenze esistono. Esempio:** "Nell'immagine *A* il vaso è a destra del divano, mentre nella *B* è a sinistra", "Nell'immagine *B* c'è una finestra mentre nella *A* non c'è".

D Mah, non so...

1 **Lavorate in coppia. Potete mettere il dialogo in ordine?**

1	*Mario:*	C'è qualcosa di interessante in tv stasera?
	Mario:	Probabilmente alle 9. Ma su quale canale?
	Mario:	Andiamo da Stefano a vedere la partita?
	Mario:	È vero! C'è Juve-Milan! Sai a che ora comincia?
	Gianni:	Beh, è ancora presto, magari più tardi...
	Gianni:	Non sono sicuro. Penso alle 8... o è alle 9?
	Gianni:	Mah, non so! C'è una partita di calcio, almeno credo.
	Gianni:	Forse su Canale 5.

2 **Quali espressioni usano Mario e Gianni per esprimere incertezza e dubbio?**

....

....

3 *Role-play*

▷ **Sei *A*: chiedi al tuo compagno:**
- *se vuole uscire con te domani*
- *a che ora pensa di tornare a casa*
- *quanto costa un caffè in Italia*
- *che regalo vuole per il suo compleanno*

▷ **Sei *B*: rispondi alle domande di *A* esprimendo incertezza e dubbio.**

17

E Di chi è?

1 **Osservate il disegno.**

2 **Osservate la tabella e completate le frasi.**

I possessivi (1)

io	il mi**o**	la mi**a**
tu	il tu**o** compleann**o**	la tu**a** macchin**a**
lui/lei	il su**o**	la su**a**

Il resto sui possessivi nell'unità 6.

1. - Carlo, è tuo questo giornale? - Sì, è ....
2. Giulia, posso prendere il .... motorino domani?
3. Marta viene con il .... fidanzato stasera.
4. Non conosco bene Pietro, perciò non vado alla .... festa.
5. Quanto è bella la .... casa, Gianni! Però cinquecentomila euro sono molti!
6. In agosto vado per un mese da una .... amica in Sicilia.

3 **Osservate i disegni e con l'uso dei possessivi costruite delle frasi come** "La tua penna è blu".

macchina / nuova

televisore / grande

regalo / bello

scrivania / vecchia

appartamento / in centro

ragazza / italiana

18

F Grazie!

22

1 **Ascoltate i mini dialoghi.**

a.
- Scusi, signora, sa a che ora parte il treno?
- Fra dieci minuti, credo.
- Grazie mille!
- Prego!

b.
- Giulia, puoi portare una delle due valigie?
- Certo, nessun problema.
- Grazie!
- Figurati!

c.
- Ecco gli appunti per il tuo esame.
- Grazie tante, Silvia!
- Di niente!

2 **Completate i mini dialoghi che seguono.**

- Scusi, signore, sa dov'è la Banca Intesa?
- Sì, è in via Manzoni, accanto alla posta.
- ....
- ....

- ....?
- Sono le 9.
- Grazie!
- ....

- Scusa, a che ora aprono i negozi oggi?
- ....
- ....
- Non c'è di che!

Ringraziare	Rispondere ad un ringraziamento
Grazie!	*Prego!*
Grazie tante!	*Di niente!*
Grazie mille!	*Figurati! (informale)*
Ti ringrazio!	*Non c'è di che!*

19

G Vocabolario e abilità

1 **I mesi e le stagioni. Provate a completare la tabella con i mesi dati.**

autunno	inverno	primavera	estate
settembre	....	marzo	giugno
....	gennaio	....	luglio
novembre	febbraio	maggio	....

agosto *dicembre* *aprile* *ottobre*

20

2 **I numeri da 1.000 a 1.000.000. Completate la tabella.**

1.000 mille
.... millenovecentonovanta
2.000 duemila
6.458 seimilaquattrocentocinquantotto
.... diecimilacinquecento
505.000 cinquecentocinquemila
1.000.000 un milione
4.300.000 quattro milioni trecentomila

3 **Date le informazioni richieste come nell'esempio.**

Il prezzo del nuovo modello della *Lancia*? *(19.500 €)* ➪ diciannovemilacinquecento euro.

1. L'anno della scoperta dell'America? *(1492)*
2. Gli abitanti di Roma? *(2.900.000)*
3. Il prezzo di uno scooter *Aprilia*? *(2.800 €)*
4. L'anno della tua nascita? *(...)*
5. Il costo di una villa sul lago di Como? *(900.000 €)*
6. Il prezzo dell'auto che sogni di comprare? *(32.900 €)*

21

23 **4** **Ascolto** Quaderno degli esercizi

5 **Scriviamo**

Immagina di essere Nicola, il protagonista del primo dialogo dell'unità. Scrivi un'e-mail alla tua famiglia per spiegare perché preferisci la posta elettronica al telefono e dai in breve tue notizie. (*60-70 parole*)

Test finale

Scrivere un'e-mail o una lettera (informale/amichevole)...

- *Caro (Carissimo) Alberto,*

....

- *Ti bacio! / Ti abbraccio*
- *Tanti baci! / Bacioni! / Saluti*
- *Il/La tuo/a amico/a*
- *A presto!*
- *Tuo/a*

Giulio/a

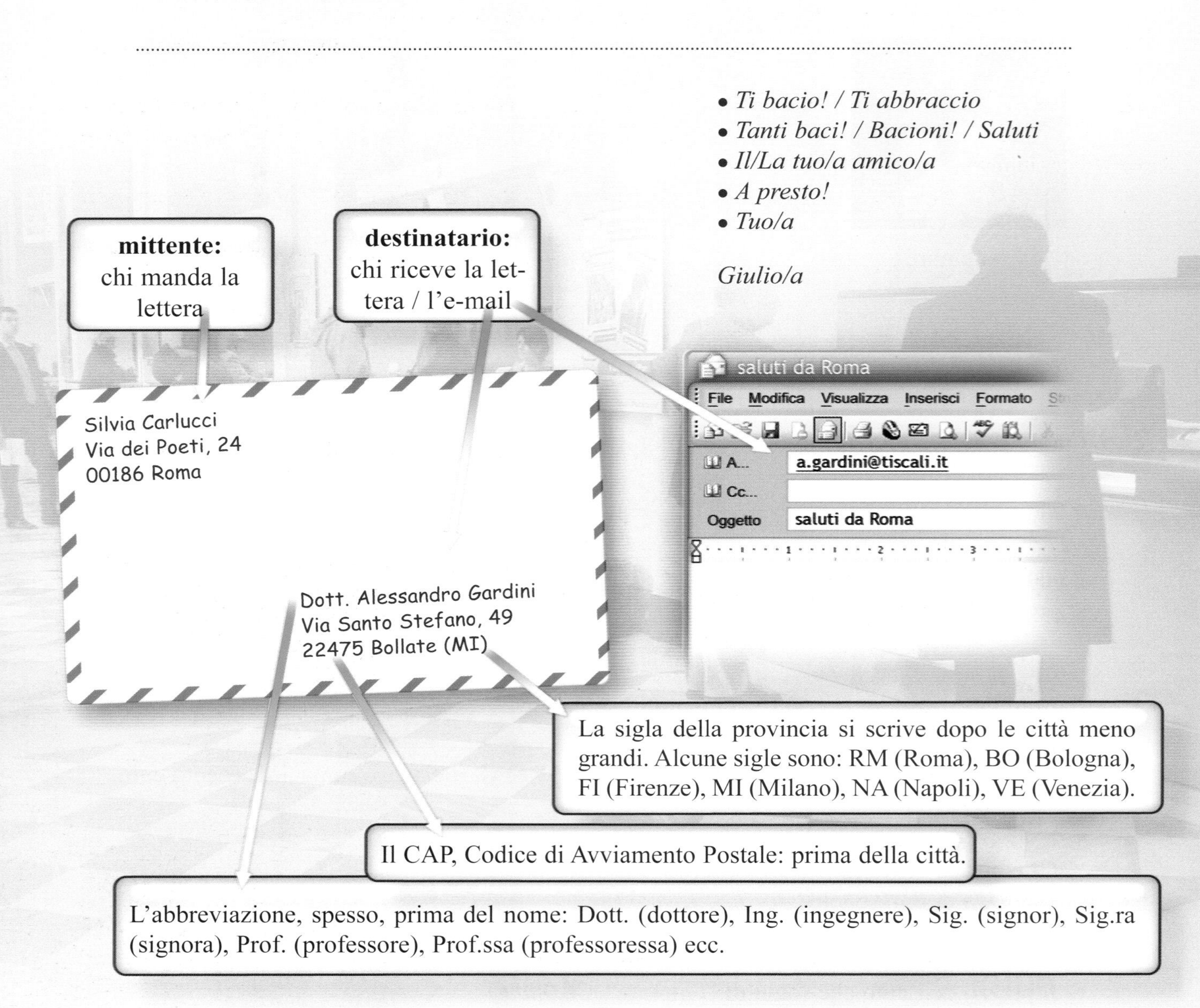

La sigla della provincia si scrive dopo le città meno grandi. Alcune sigle sono: RM (Roma), BO (Bologna), FI (Firenze), MI (Milano), NA (Napoli), VE (Venezia).

Il CAP, Codice di Avviamento Postale: prima della città.

L'abbreviazione, spesso, prima del nome: Dott. (dottore), Ing. (ingegnere), Sig. (signor), Sig.ra (signora), Prof. (professore), Prof.ssa (professoressa) ecc.

Alcune espressioni utili per scrivere

Esprimere conseguenza:
Devo, quindi... / Per riuscire, dunque, a...

Esprimere un'opposizione:
Tu, invece, credi che... / Lui, comunque, non vuole... / Al contrario, secondo me...

Fare un'aggiunta:
Inoltre, voglio dire... / In più, è importante... / Non solo..., ma... / D'altra parte,...

Concludere una lettera, un argomento:
Concludendo,... / Riassumendo,... / Infine,... / In altri termini,... / Così,... / In breve,... /

...e telefonare.

In Italia per fare una chiamata urbana o interurbana* bisogna digitare prima il prefisso della città desiderata. Il prefisso di Milano è 02, di Roma 06, di Bologna 051 e così via. Per telefonare dall'estero in Italia bisogna fare lo 0039, il prefisso della città e il numero della persona desiderata.
Generalmente, per non disturbare, un italiano evita di telefonare a casa d'altri dopo le 10 di sera e prima delle 8 del mattino.
L'Italia è tra i paesi con la più alta percentuale* di cellulari* nel mondo: quasi tutti gli italiani hanno il telefonino, che usano molto spesso. Inoltre, seguono molto da vicino tutte le nuove tecnologie relative alle telecomunicazioni.
Come in tanti altri paesi, ci sono alcuni numeri utili sia ai cittadini italiani che ai turisti. I numeri più importanti sono:

Rispondete alle domande.

1. Qual è il prefisso di Milano per chi chiama dall'estero?
2. Quale numero bisogna chiamare quando c'è un incendio?
3. Ci sono differenze o somiglianze tra i servizi telefonici e le abitudini relative al telefono in Italia e nel vostro paese?

Glossario: urbana/interurbana: nella stessa città/in un'altra città; percentuale: %; cellulare/telefonino: telefono mobile; emergenza: improvvisa situazione di pericolo, difficoltà; vigili del fuoco: corpo della Protezione civile che presta aiuto in caso di incendio o di ogni tipo di emergenza; infanzia: l'età compresa tra gli 0 e i 12 anni; cabina telefonica: box, piccolo spazio con un telefono pubblico.

Per telefonare da una cabina telefonica* è necessaria una scheda telefonica, che è possibile comprare in tabaccheria o dal giornalaio.

Autovalutazione
Che cosa ricordate delle unità 2 e 3?

1. Sapete...? Abbinate le due colonne.

1. chiedere l'ora
2. esprimere incertezza, dubbio
3. rispondere ad un ringraziamento
4. chiudere una lettera
5. ringraziare

a. *Grazie tante del regalo!*
b. *Forse vengo anch'io.*
c. *Ma figurati!*
d. *Scusi, che ore sono?*
e. *Tanti saluti!*

2. Abbinate le frasi.

1. Vuoi venire con noi al cinema?
2. Quando posso trovare l'avvocato?
3. Dov'è il bagno?
4. Com'è la casa di Stella?
5. Ti ringrazio!

a. Non c'è di che!
b. Bella, grande e luminosa.
c. Ogni giorno dalle 10 alle 18.
d. Con piacere!
e. Di fronte alla camera da letto.

3. Completate.

1. Due mezzi di trasporto urbano: ....
2. Dopo *dicembre*: ....
3. Il contrario di *sotto*: ....
4. La prima persona singolare di *tenere*: ....
5. La prima persona plurale di *volere*: ....

4. In ogni gruppo trovate la parola estranea.

1. posta festa francobollo lettera
2. appartamento piano intorno affitto
3. mese stagione estate mezzogiorno
4. mittente cellulare telefonare prefisso
5. armadio tavolo poltrona soggiorno

Controllate le soluzioni a pagina 191.
Siete soddisfatti?

Piazza del Campo, Siena

Al bar

Per cominciare...

1 Osservate queste foto. Quali attività preferite fare il fine settimana?

2 Ascoltate una prima volta il dialogo. Di quali attività parlano i due ragazzi?

3 Ascoltate di nuovo il dialogo e scegliete l'affermazione giusta.

1. Nel fine settimana Enzo e Lidia
   - a. hanno fatto le stesse cose
   - b. hanno fatto cose diverse
   - c. sono andati insieme al cinema

2. È stato un fine settimana tranquillo quello di
   - a. Enzo
   - b. Lidia
   - c. tutti e due

In questa unità...

1. ...impariamo a raccontare, a situare un avvenimento nel tempo, a ordinare al bar, a esprimere preferenza;
2. ...conosciamo il passato prossimo, gli avverbi di tempo con il passato prossimo, l'avverbio ci;
3. ...troviamo informazioni e curiosità sugli italiani al bar e sul caffè.

A Come hai passato il fine settimana?

24 **1 Leggete e ascoltate il testo per confermare le risposte all'attività precedente.**

Enzo: Ciao Lidia, come va?

Lidia: Non c'è male, grazie. E tu?

Enzo: Abbastanza bene. Allora... come hai passato il fine settimana?

Lidia: 5 Mah, niente di speciale, le solite cose.

Enzo: E dai, racconta.

Lidia: Dunque... sabato sono andata con Gianna in centro... a fare spese. Poi abbiamo bevuto un caffè all'*Antico Caffè Greco* e verso le 9 10 siamo andate a mangiare una pizza con degli amici.

Enzo: E ieri?

Lidia: Ieri, niente, sono andata da una mia collega. Abbiamo cenato e abbiamo guardato 15 un film in televisione. Be'... non è stato tanto divertente devo dire. Comunque, sono rimasta fino a mezzanotte. E tu, cosa hai fatto di bello? Sei uscito con i ragazzi alla fine?

Enzo: 20 Sì... sabato sera siamo andati in discoteca. Abbiamo ballato un sacco e siamo tornati dopo le tre!

Lidia: Allora, ieri non sei uscito, immagino...

Enzo: 25 Invece, sì! Nel pomeriggio sono andato da Paola a guardare la tv. Verso le otto, però, lei ha avuto l'idea di andare al cinema e... così siamo usciti in gran fretta. Pensa 30 che siamo entrati in sala un minuto prima dell'inizio del film!

Lidia: Dai! Un fine settimana intenso, insomma.

Enzo: Beh, sì! Ma anche divertente...!

2 Leggete.

Assumete i ruoli di Lidia ed Enzo. Leggete il dialogo.

3 Rispondete alle domande.

1. Lidia e Gianna cosa hanno fatto sabato?
2. Cosa ha fatto Lidia domenica?
3. Dov'è andato sabato sera Enzo?
4. Cosa ha fatto, invece, Enzo domenica sera?

4 Il testo che segue è un riassunto del dialogo introduttivo. Completate con i verbi dati.

Sabato Lidia è ....*uscita*.... insieme a Gianna. Sono .... a fare spese e poi hanno .... un caffè all'*Antico Caffè Greco*. Domenica, Lidia è .... da una sua collega ed è .... fino a mezzanotte.

Sabato sera, Enzo e i suoi amici sono .... in discoteca. Sono .... a casa dopo le tre. Domenica Paola ha .... l'idea di andare al cinema. Sono .... in sala poco prima dell'inizio del film!

andati
bevuto
uscita
andata
entrati
rimasta
tornati
avuto
andate

5 Lavorate in coppia. Osservate queste frasi, tratte dal dialogo introduttivo, con i verbi al passato prossimo:

come **hai passato** il fine settimana?
abbiamo guardato un film...
abbiamo ballato un sacco...

sabato **sono andata**...
ieri non **sei uscito**...
siamo entrati in sala...

Secondo voi, quando usiamo il passato prossimo? Come si forma?

Osservate la prima tabella della pagina successiva e confermate le vostre ipotesi sulla formazione del passato prossimo.

Antico Caffè Greco, **Roma**

Passato prossimo

presente di *avere* o *essere* + participio passato ⇨ parl**are** = parl**ato**
ricev**ere** = ricev**uto**
fin**ire** = fin**ito**

6 Osservate la tabella e costruite delle frasi secondo l'esempio.

ausiliare *avere* + participio passato

ho	parl**ato**	di te con Gianna.
hai	mangi**ato**	la pasta al dente?
ha	ricev**uto**	due cartoline.
abbiamo	vend**uto**	la vecchia casa.
avete	cap**ito**	il dialogo?
hanno	dorm**ito**	molte ore.

Ieri *(io-mangiare)* la pizza.
⇨ *Ieri ho mangiato la pizza.*

1. Un anno fa *(io-visitare)* San Pietro.
2. Carla e Pina *(lavorare)* fino alle cinque.
3. Due giorni fa Giulia *(vendere)* la sua macchina.
4. Letizia, dove *(comprare)* questo vestito?
5. Come mai *(voi-pensare)* di dare una festa?

1 e 2

7 Osservate la tabella e costruite delle frasi orali.

ausiliare *essere* + participio passato

sono	and**ato/a**	a teatro ieri.
sei	torn**ato/a**	dal lavoro?
è	entr**ato/a**	in un negozio.
siamo	part**iti/e**	un mese fa.
siete	usc**iti/e**	l'altro ieri?
sono	sal**iti/e**	al quarto piano.

1. L'estate scorsa *(noi-andare)* ad Amalfi.
2. Ieri Patrizia non *(uscire)* di casa.
3. Stefania *(partire)* ieri sera per la Germania.
4. A che ora *(tornare)* ieri notte, Carla?
5. Se non sbaglio, *(io-arrivare)* alle 9 in punto.

Amalfi

3 e 4

B Cosa ha fatto ieri?

Role-play

1 **La polizia sospetta Luigi di un piccolo furto avvenuto il 12 dicembre. Uno di voi (*A*) è l'agente di polizia che cerca di verificare quello che è scritto nell'agenda del ragazzo. Un altro (*B*) è Luigi che risponde a domande come:** *cosa ha fatto alle...? / dove è andato...? / con chi...? / che cosa avete fatto...? / a che ora ha/è...?*

2 **Osservate:** *"ho incontrato Nina"*, *"sono andato dal dentista"*. **Secondo voi, da che cosa dipende la scelta dell'ausiliare? Osservate la tabella.**

essere o *avere*?

a. Prendono come ausiliare il verbo *essere*:

1. molti verbi di movimento: *andare, venire, partire, tornare, entrare, uscire, ritornare, rientrare, giungere* ecc;
2. molti verbi di stato in luogo: *stare, rimanere, restare* ecc;
3. alcuni verbi intransitivi (che non hanno un 'oggetto'): *essere, succedere, morire, nascere, piacere, costare, sembrare, servire, riuscire (a), diventare, durare* ecc;
4. i verbi riflessivi (unità 9): *alzarsi, svegliarsi, lavarsi* ecc.

b. Prendono come ausiliare il verbo *avere*:

1. i verbi transitivi (che possono avere un 'oggetto'): *chiamare* (qualcuno), *mangiare* (qualcosa), *dire* (qualcosa a qualcuno) ecc;
2. alcuni verbi intransitivi: *dormire, ridere, piangere, camminare, lavorare* ecc.

c. Prendono come ausiliare sia *essere* sia *avere* alcuni verbi come:

cambiare: a) Gianna ha cambiato macchina, ma b) Gianna è cambiata ultimamente
passare: a) Abbiamo passato un mese in montagna, ma b) Sono passate già due ore
finire: a) Ho appena finito di studiare, ma b) La lezione è finita un'ora fa
ed altri come *scendere, salire, cominciare, correre* ecc.

5 e 6

3 **Leggiamo ora l'intero dialogo tra Luigi e l'agente di polizia.**

agente: Cosa ha fatto il 12 dicembre?
Luigi: Se ricordo bene... quel giorno sono arrivato presto all'università e... sono subito entrato nell'aula.
agente: E poi?
Luigi: Poi... intorno alle 2, sono andato alla mensa, come sempre. ... Ah, no, prima ho parlato con il prof. Berti.
agente: Poi cosa ha fatto?
Luigi: Ho mangiato e sono andato al bar per incontrare Nina, la mia ragazza. Abbiamo bevuto un caffè e dopo un'ora e mezza circa, cioè verso le cinque, sono andato dal dentista. Poi sono tornato a casa.
agente: E lì, cosa ha fatto?
Luigi: Niente di speciale... ho studiato un po' e più tardi è venuta anche Nina. Abbiamo ordinato una pizza e abbiamo guardato la tv.
agente: E dopo, cos'è successo dopo?
Luigi: Allora... dopo... abbiamo parlato un po' e alla fine siamo andati a dormire.

4 **Con l'aiuto dei disegni e di queste espressioni, raccontate un'altra giornata di Luigi.**

Raccontare

anzitutto... / per prima cosa...	*dopo le due...*	*più tardi...*
prima... / prima di...	*poi... / dopo...*	*così... / alla fine...*

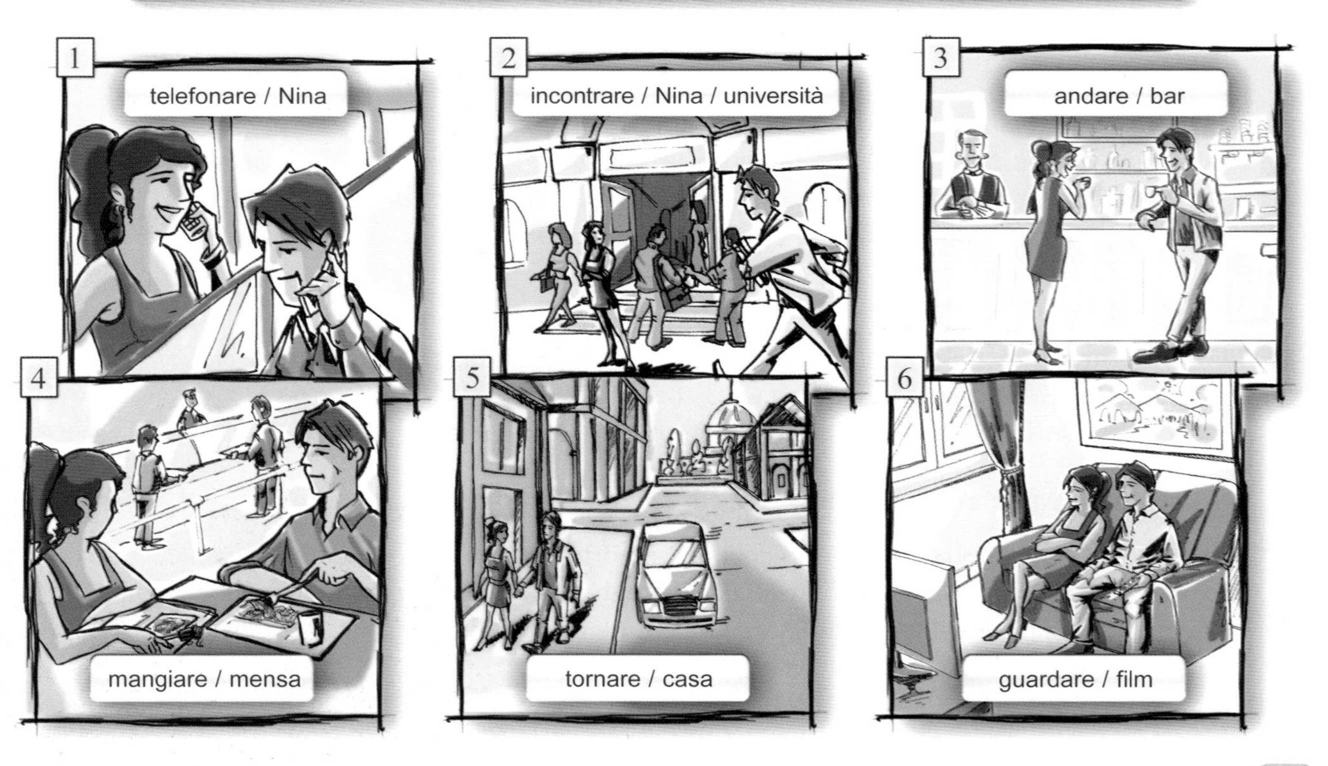

5 **Nel dialogo al punto 3 abbiamo incontrato dei participi passati irregolari, come "fatto", "venuta" e "successo". Di quali verbi, secondo voi?**

6 **Lavorate in coppia. Abbinate i verbi all'infinito e i participi passati. Vediamo chi finisce prima!**

Participi passati irregolari

dire	*(ha)* ***corretto***	chiedere	*(ha)* ***chiesto***
fare	*(ha)* ***detto***	rispondere	*(ha)* ***proposto***
scrivere	*(ha)* ***fatto***	proporre	*(è)* ***rimasto***
correggere	*(ha)* ***letto***	vedere	*(ha)* ***risposto***
leggere	*(ha)* ***scritto***	rimanere	*(ha)* ***visto***
prendere	*(ha)* ***acceso***	conoscere	*(ha)* ***spento***
scendere	*(ha)* ***chiuso***	vincere	*(ha)* ***vinto***
spendere	*(ha)* ***deciso***	piacere	*(è)* ***piaciuto***
chiudere	*(ha)* ***preso***	correre	*(ha)* ***conosciuto***
accendere	*(è/ha)* ***sceso***	spegnere	*(ha)* ***bevuto***
decidere	*(ha)* ***speso***	bere	*(è/ha)* ***corso***
morire	*(ha)* ***aperto***	mettere	*(ha)* ***discusso***
offrire	*(è)* ***morto***	promettere	*(ha)* ***messo***
aprire	*(ha)* ***offerto***	succedere	*(ha)* ***promesso***
soffrire	*(ha)* ***sofferto***	discutere	*(è)* ***successo***
venire	*(è)* ***stato***		
essere/stare	*(ha)* ***perso***	*La lista completa dei participi passati irregolari è in Appendice a pagina 189.*	
vivere	*(ha)* ***scelto***		
perdere	*(è)* ***venuto***		
scegliere	*(è/ha)* ***vissuto***		

7 **Costruite frasi secondo il modello.**

(tu-leggere) il giornale oggi? ➪ *Hai letto il giornale oggi?*

1. Per arrivare in tempo all'appuntamento *(prendere)* un taxi.
2. Pierino, che regalo *(chiedere)* per il tuo compleanno?
3. Marco *(dire)* una piccola bugia alla sua ragazza.
4. Valeria e io *(rimanere)* a casa tutto il giorno.
5. Chi *(vincere)* il campionato l'anno scorso?
6. Voi dove *(conoscere)* la signora Rossi?

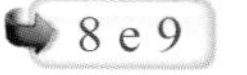
8 e 9

C Ha già lavorato...?

1 Lavorate in coppia. Mettete in ordine il dialogo che segue, un colloquio di lavoro tra Maria Grazia e la direttrice di un'agenzia di viaggi. Dopo rispondete alle domande.

1 *Direttrice:* Signorina Grandi, vedo che è laureata in Economia e Commercio. Quando ha finito l'università?

Direttrice: Ah, e per quanto tempo?

Maria Grazia: L'anno scorso.

Direttrice: Ha già lavorato in un'agenzia di viaggi, vero?

Maria Grazia: Sono andata via nel settembre scorso... quindi ci ho lavorato in tutto per 8 mesi.

Maria Grazia: Sì, ma non ho ancora trovato niente di interessante.

Direttrice: Ho capito... e da allora cerca lavoro?

Maria Grazia: Sì, certo. La prima volta tre anni fa, a Padova. Poi l'anno scorso ho lavorato part-time proprio qui a Milano.

1. Quando ha finito l'università Maria Grazia?
2. Quando e dove ha lavorato?
3. Quando ha lasciato il lavoro precedente?
4. Perché non ha ancora trovato lavoro?

2 Osservate la tabella e fate il role-play.

Quando...?

un'ora fa / tre giorni fa / qualche mese fa / molti anni fa / tempo fa

martedì scorso / la settimana scorsa / il mese scorso / nel dicembre scorso / l'estate scorsa / l'anno scorso

Data precisa

giorno:	è partito parte	**il** 18 gennaio / giovedì scorso **il** 20 marzo / domenica prossima
mese:	è tornato torna	**nel** novembre scorso **a** / **in** giugno, settembre
anno:	è nato è nato	**nel** 1982, **a** febbraio **nel** febbraio del 1982

▷ Sei *A*: chiedi al tuo compagno quando:

▷ Sei *B*: rispondi alle domande di *A*.

- *è nato*
- *ha finito la scuola (elementare)*
- *è stata l'ultima volta che è andato in vacanza*
- *ha cominciato a studiare l'italiano*

Alla fine *A* deve riferire al resto della classe le risposte di *B* ("è nato nel..." ecc.).

3 **A coppie, osservate questi avvenimenti e scambiatevi informazioni come nell'esempio:**
-"Quando è morto Federico Fellini?" -"Nel 1993".

4 **Nel dialogo precedente (C1) abbiamo visto le seguenti frasi:** "ci ho lavorato per...", "ha già lavorato in un'agenzia...", "non ho ancora trovato...". **Osservate la posizione degli avverbi (in blu).**

5 **Osservate le due tabelle e costruite almeno due frasi con questi elementi.**

Ci	
- Vai alla festa di Mauro?	- Sì, **ci** vado.
- Siete andati a teatro?	- Sì, **ci** siamo andati.
- Sei mai stato in Spagna?	- No, non **ci** sono ancora stato.
- Stasera vieni con noi in discoteca?	- No, non **ci** posso venire.

Avverbi con il passato prossimo

Eugenio		*è*	**sempre**	*stato*	gentile con me.
Rita,		*hai*	**già**	*finito*	di studiare?
Gianluca		*è*	**appena**	*uscito*	di casa.
Lei	**non**	*ha*	**mai**	*parlato*	di questa cosa.
Dora	**non**	*è*	**ancora**	*arrivata*	in ufficio.
Alfredo	**non**	*ha*	**più**	*detto*	niente.

inoltre:	*Ho*	**anche**	*dormito*	un po'.
	È	*venuta*	**anche**	Alice.

....

....

10 e 11

D Cosa prendiamo?

25

1 **Ascoltate il dialogo senza leggere il testo e mettete in ordine le illustrazioni.**

Nadia: Dunque, cosa prendiamo?
Claudio: Non so... io ho un po' di fame. ...Scusi, possiamo avere il listino... il menù?
cameriere: Ecco a voi.
Claudio: Grazie! Vediamo...
Silvia: Io so già cosa prendo... vorrei un cappuccino.
Nadia: Ma come?! Il cappuccino dopo pranzo?!
Silvia: È che oggi ho dovuto pranzare presto, più di due ore fa. Tu, Claudio... hai deciso?
Claudio: Mah, non so... prendo un tramezzino. No, anzi, meglio se prendo un cornetto... Cameriere!
cameriere: Prego.
Nadia: Dunque, un cappuccino per lei, un caffè macchiato per me e una bottiglia d'acqua minerale. Claudio, tu alla fine cosa prendi?
Claudio: Per me un panino con prosciutto crudo e mozzarella e una lattina di Coca cola.
cameriere: D'accordo, grazie!
Silvia: Claudio, ehh... sei proprio un tipo deciso!!!

2 Ascoltate di nuovo il dialogo e rispondete:

a. Cosa hanno preso le due ragazze?
b. Cosa ha preso Claudio?

3 Lavorate in coppia: leggete prima il dialogo e dopo il listino. Quanto ha pagato ognuno dei ragazzi.

caffè GIOLITTI

CAFFETTERIA

Caffè espresso	1,40
Caffè corretto	1,60
Caffè espresso decaffeinato	1,60
Cappuccino	1,60
Caffelatte - Latte	1,30
Tè - Camomilla	1,60
Cioccolata in tazza - con panna	1,70
Caffè - tè freddo	1,70

GELATI - DOLCI

Coppa Giolitti	6,50
Torta al caffè	5,40
Tiramisù	5,20
Zabaione	5,20
Stracciatella	5,20
Cioccolato	5,20
Pannacotta	5,20

BIBITE

Bibite in lattina	1,60
Bibite in bottiglia	1,50
Spremuta d'arancia	2,80
Birra alla spina piccola	1,70
Birra alla spina media	2,60
Birra in bottiglia	3,00
Acqua minerale - bicchiere	0,50
Acqua minerale - bottiglia	1,70

APERITIVI

Bitter - Campari	3,60
Martini: rosso - dry - bianco	3,60

PANINI - TRAMEZZINI

Prosciutto crudo e mozzarella	1,80
Mozzarella e pomodoro	1,80

4 Guardando il listino e la tabella che segue, drammatizzate un dialogo tra due persone che entrano in un bar e decidono di bere e mangiare qualcosa.

Ordinare

cosa prendi?
cosa prendiamo?
vuoi bere qualcosa?

---

per me un... / io prendo...
preferisco il tè al caffè...
io ho fame: vorrei un panino...
ho sete: vorrei bere qualcosa...

5 **Nel dialogo di pagina 66 abbiamo visto** "ho dovuto pranzare presto". **Osservate la tabella e completate le frasi secondo il modello.**

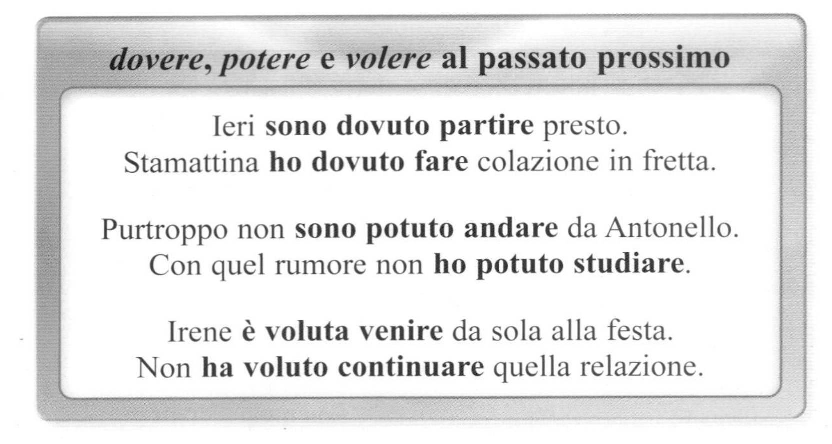

dovere, potere **e** ***volere*** **al passato prossimo**

Ieri **sono dovuto partire** presto.
Stamattina **ho dovuto fare** colazione in fretta.

Purtroppo non **sono potuto andare** da Antonello.
Con quel rumore non **ho potuto studiare**.

Irene **è voluta venire** da sola alla festa.
Non **ha voluto continuare** quella relazione.

Ieri *(io-dovere lavorare)* molte ore. ➪ *Ieri ho dovuto lavorare molte ore.*

1. Non *(io-volere-comprare)* una macchina di seconda mano.
2. Ida *(volere-continuare)* a studiare anche dopo mezzanotte.
3. Signora Pertini, come *(potere affrontare)* una situazione così difficile?
4. Alla fine, *(noi-dovere tornare)* a casa da sole.
5. Maurizio non *(potere trovare)* una buona scusa.

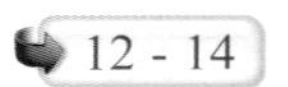
12 - 14

E Abilità

1 Ascolto Quaderno degli esercizi

2 Parliamo

1. Quanti tipi di caffè esistono? Potete spiegare che differenze ci sono?
2. Voi che caffè preferite, quando e come lo bevete?
3. Secondo voi, costa molto bere un caffè e mangiare qualcosa in un bar italiano? Nel vostro paese, più o meno, quanto costa?
4. Ci sono somiglianze o differenze tra un bar italiano e uno del vostro paese? Parlatene.
5. Andate spesso a bere il caffè fuori? Parlate un po' del posto che preferite: dove si trova, com'è, perché ci andate ecc.

3 Scriviamo

Scrivete un'e-mail a un amico italiano nella quale, dopo i soliti saluti, raccontate un fine settimana appena trascorso. *(80-100 parole)*

Test finale

Gli italiani e il bar

Leggete il testo e scegliete le affermazioni giuste.

Molto spesso il caffè si beve al banco, in piedi

Alla cassa

Per molti italiani una sosta*, anche breve, al bar fa parte del loro programma giornaliero. Ci possono andare la mattina a fare colazione con cappuccino e cornetto, all'ora di pranzo per un panino, il pomeriggio per un dolce seguito da un buon caffè, oppure la sera per bere qualcosa con gli amici. Il caffè non costa molto e, di solito, prima di ordinare al barista dietro il banco dobbiamo pagare, cioè dobbiamo "andare alla cassa" per ritirare o "fare lo scontrino*".

Più accoglienti* e ospitali sono i bar di provincia, più che altro un ritrovo* per le persone di ogni età: lì possono anche leggere il giornale, discutere di politica e di sport e giocare a carte.

Quando il tempo è bello è ancora più piacevole andare al bar e sedersi ai tavolini in piazza o semplicemente sul marciapiede per godere del sole, leggere il giornale, chiacchierare con un amico davanti a una tazzina di caffè. Famosi, ad esempio, sono i bar di Piazza San Marco a Venezia, come il leggendario *Florian*.

Proprio la piazza è un punto di ritrovo, un luogo dove poter parlare, scherzare, passeggiare, mangiare un gelato. Tipici esempi: Piazza di Spagna e Piazza Navona a Roma e Piazza del Duomo a Milano.

Un bar a Piazza Navona

Il *Florian*

1. Per gli italiani il bar è un locale dove
   - ☐ a. fare solo colazione
   - ☐ b. bere e mangiare
   - ☐ c. passare soprattutto la serata

2. Quando il tempo è bello gli italiani
   - ☐ a. preferiscono i gelati al caffè
   - ☐ b. preferiscono le piazze ai bar
   - ☐ c. preferiscono i bar con i tavolini fuori

I bar che hanno fuori un'insegna* con la lettera 'T', sono anche tabaccherie e vendono tantissime cose.

Glossario: sosta: fermata; scontrino: biglietto di ricevuta che prova il pagamento; accogliente: ospitale, piacevole; ritrovo: luogo scelto come punto d'incontro; insegna: scritta situata all'esterno di un negozio.

Il caffè

Leggete il testo sul caffè e indicate le affermazioni veramente presenti.

Gli italiani con la parola "caffè" si riferiscono quasi sempre all'espresso, questo caffè tanto particolare dal gusto e l'aroma* forti.

Tutto comincia nel 1901 quando il milanese Luigi Bezzera inventa* una macchina per il caffè da bar che permette di preparare il caffè in poco tempo. Così, l'espresso (nome che sottolinea, appunto, la velocità nella preparazione, ma anche nella... consumazione) entra nella vita di tutti i giorni degli italiani e diventa un simbolo dell'Italia.

Tutti i momenti sono buoni per un caffè che possiamo bere **macchiato** (con pochissimo latte); **lungo** (tazzina quasi piena, sapore più leggero); **ristretto** (meno acqua, sapore più forte); **freddo** (con ghiaccio); **corretto** (con un po' di liquore). Inoltre a casa gli italiani fanno spesso colazione con il **caffelatte**, latte caldo e pochissimo caffè.

L'altra bevanda calda italiana famosa nel mondo è il cappuccino. Ha preso il suo nome dal colore degli abiti dei frati* cappuccini e in pratica si tratta sempre di un espresso più la schiuma di latte*. Un consiglio: dopo pranzo chiedete un espresso invece di un cappuccino. Per gli italiani, infatti, è impensabile* bere un 'cappuccio' alla fine di un pasto, mentre va benissimo a colazione. L'espresso, d'altra parte, si beve a tutte le ore!

☐ 1. L'espresso è il caffè preferito dagli italiani.

☐ 2. Luigi Bezzera ha inventato il modo di preparare il cappuccino.

☐ 3. Il caffelatte si beve soprattutto la mattina.

☐ 4. Il caffè lungo non ha un sapore molto forte.

☐ 5. I frati cappuccini bevono molto caffè.

☐ 6. Dopo pranzo gli italiani bevono almeno due tazzine di caffè.

Glossario: aroma: il profumo di una bevanda, di un cibo; inventare: creare, pensare per primo una cosa nuova; frate: monaco, uomo che appartiene a un ordine religioso; schiuma di latte: crema di latte; impensabile: incredibile, che non si riesce ad immaginare.

Caffè, che passione!

Leggete il testo e completate la tabella.

Caffè, passione degli italiani
30 milioni di tazzine al giorno

ROMA - A colazione, dopo pranzo e dopo cena.
Ma anche al pomeriggio: il rito* del caffè sembra irrinunciabile* per gli italiani. Sui 7,5 milioni di sacchi di caffè importato dall'estero (pari a 76 mila tonnellate*) ogni anno, 1,5 milioni finiscono nei bar, i restanti* 6 milioni vanno nelle case private per il consumo quotidiano*. Un italiano beve 600 tazzine di caffè e cappuccino all'anno: di queste il 70% a casa, il 20% nei

130.000 mila bar del paese e il 10% sul posto di lavoro.

da la Repubblica

I numeri del caffè

....	tazzine all'anno per ogni italiano
....	milioni di sacchi di caffè importato
....	mila bar in Italia
....	mila tonnellate di caffè consumate all'anno
....	milioni di sacchi di caffè consumati al bar
....	milioni di sacchi di caffè consumati nelle case
....	milioni di tazzine bevute al giorno in Italia

Tra le caffettiere ad uso domestico* la più usata oggi è ancora la Moka (famosa per esempio la *Bialetti*) che in pochi minuti dà un buon espresso. Poi esistono tantissime caffettiere automatiche (in bar, ristoranti, uffici e case) che preparano sia il caffè sia il cappuccino.

Glossario: rito: abitudine sacra; irrinunciabile: che non si può rifiutare; tonnellata: mille chili; restante: quello che resta; quotidiano: di ogni giorno; domestico: di casa, famigliare.

Attività online

Autovalutazione
Che cosa avete imparato nelle unità 3 e 4?

1. Sapete...? Abbinate le due colonne.

1. esprimere incertezza
2. ordinare al bar
3. esprimere preferenza
4. localizzare nello spazio
5. raccontare

a. *Un cornetto, per favore.*
b. *Io vorrei un tè.*
c. *È nel salotto, sul tavolino.*
d. *All'inizio siamo andati a mangiare, poi...*
e. *Mah, può darsi.*

2. Abbinate le frasi.

1. Quando sei venuto in Italia?
2. Scusi, quanto costa questo?
3. Cosa prendi?
4. Pronto?
5. Grazie mille!

a. Per me un caffè lungo, grazie.
b. Ma figurati!
c. Posso parlare con Marco?
d. Nel maggio scorso
e. Con lo sconto 90 euro.

3. Completate.

1. Due tipi di caffè espresso: ....
2. In genere non si beve dopo un pasto: ....
3. Il participio passato del verbo *bere*: ....
4. Il passato prossimo di *rimanere* (prima persona singolare): ....
5. L'ausiliare di molti verbi di movimento: ....

4. Scoprite, in orizzontale e in verticale, le otto parole nascoste.

e	s	u	c	c	e	s	s	o	t
t	o	l	i	p	e	t	b	l	a
t	p	i	a	z	z	a	e	e	v
y	r	s	g	i	u	g	n	o	o
n	a	t	t	u	f	e	t	a	l
a	t	i	r	e	z	n	o	s	i
p	a	n	i	n	o	d	u	m	n
u	v	o	g	e	l	a	f	i	o

Controllate le soluzioni a pagina 191.
Siete soddisfatti?

Piazza di Spagna, Roma

Feste e viaggi

Per cominciare...

1 Dove e come preferite trascorrere le feste o le vacanze e perché?

27 2 **Ascoltate una prima volta il dialogo e segnate le città che Ugo e Angela pensano di visitare.**

27 3 **Ascoltate nuovamente il dialogo e indicate quali affermazioni sono esatte.**

1. Quando Aldo e Ugo parlano è già Natale.
2. Ugo farà un viaggio da solo.
3. Aldo passerà le feste lontano da Stefania.
4. Ugo e Angela a Capodanno saranno in Italia.

In questa unità...

1. ...impariamo a fare progetti, previsioni, promesse e ipotesi; il lessico e alcune espressioni per viaggiare in treno e per parlare del tempo;
2. ...conosciamo il futuro semplice e composto;
3. ...troviamo informazioni e curiosità sulle feste e sui treni in Italia.

A Faremo un viaggio.

1 **Leggete e ascoltate il testo per confermare le vostre risposte all'attività precedente.**

Ugo: ...e per Natale, avete già deciso qualcosa?

Aldo: No, ancora no. Voi, invece?

Ugo: Noi quest'anno faremo un viaggio. Ho già prenotato tutto, ma Angela non sa ancora niente!

Aldo: Ah, che bella sorpresa! E dove andrete?

Ugo: Dunque, partiremo in aereo il 22 dicembre per Madrid e il 26 andremo in treno in Portogallo, a Lisbona. Poi a Capodanno saremo a Parigi per altri tre giorni e torneremo il 4 gennaio con un treno ad alta velocità.

Aldo: Però! Ma voi farete quasi il giro d'Europa! Costerà un bel po', immagino!

Ugo: Eh, sì. Anche se, per fortuna, ho trovato un'offerta interessante sul sito di Trenitalia. E voi, ...andrete da qualche parte?

Aldo: Anche noi all'inizio abbiamo pensato di andare a Zurigo per 2-3 giorni. Però poi Stefania ha deciso di andare a Venezia dai suoi genitori e tornerà dopo Capodanno.

Ugo: E l'ultimo dell'anno?

Aldo: Non lo so. Forse verranno a casa degli amici, oppure andremo a festeggiare in qualche bel posto. Vedremo. Comunque, buone feste e buon viaggio!

Ugo: Grazie, Aldo! Buon Natale e buon anno anche a voi!

2 Leggete e sottolineate.

Lavorate in coppia. Assumete i ruoli di Ugo e Aldo e leggete il dialogo. Poi sottolineate nel testo i verbi che secondo voi hanno la stessa forma di "farete" e "faremo". Che cosa indicano?

3 Rispondete alle domande.

1. Che cosa faranno Ugo e Angela a Natale?
2. Cos'è cambiato nei programmi iniziali di Aldo?
3. Cosa farà Aldo a Capodanno?
4. Che cosa augura Ugo ad Aldo?

4 Completate il dialogo tra Ugo e Angela con i verbi dati.

Ugo: Sai, ho incontrato Aldo oggi.
Angela: Ah, come sta? E Stefania? Che .... a Natale?
Ugo: Stefania .... a Venezia e lui .... qui da solo.
Angela: Allora, forse potete uscire insieme qualche sera.
Ugo: Ma noi, amore mio, non .... qui, noi quest'anno .... un bel viaggio in Europa! Ho già prenotato tutto: il 22 dicembre .... l'aereo per la Spagna, il 26 .... in Portogallo in treno per essere in Francia a Capodanno! Eh, che bella sorpresa!
Angela: Certo... amore... come no, bellissima. Solo che... a Natale viene mia madre per una settimana! Ha già fatto i biglietti!

prenderemo andremo faranno saremo faremo andrà resterà

5 Raccontate brevemente *(40-50 parole)* come passeranno le feste le due coppie.

....

....

....

....

....

....

....

....

....

6 **Completate la tabella e poi le frasi che seguono, secondo l'esempio.**

Futuro semplice

	tornare	**prendere**	**partire**
io	torn**erò**	prend**erò**	part**irò**
tu	torn**erai**	prend**erai**	part**irai**
lui, lei, Lei	....	prend**erà**	part**irà**
noi	torn**eremo**	prend**eremo**	....
voi	torn**erete**	....	part**irete**
loro	torn**eranno**	prend**eranno**	part**iranno**

A che ora *(tu-uscire)* di casa? ⇨ *A che ora uscirai di casa?*

1. Secondo te, a Salvatore *(piacere)* uno di questi libri?
2. Chiara, quando *(imparare)* finalmente a cucinare bene?
3. *(io-scrivere)* un'e-mail a Guido per spiegare tutta la verità.
4. Dario ha promesso che *(smettere)* di correre con la macchina.
5. Ragazzi, quando *(partire)* per le vacanze?
6. Mamma, da grande *(io-diventare)* un famoso architetto!

7 **In coppia completate la tabella.**

Futuro semplice
Verbi irregolari

essere	**avere**	**stare**	**andare**	**fare**
sarò	avrò	starò	....	farò
sarai	avrai	starai	andrai	farai
sarà	avrà	....	andrà	farà
....	avremo	staremo	andremo	faremo
sarete	....	starete	andrete	farete
saranno	avranno	staranno	andranno	....

Altri verbi irregolari al futuro in Appendice a pagina 190.

1 - 5

8 **Usi del futuro. Osservate la tabella e poi dite a quale uso corrispondono i disegni in basso.**

1. Fare progetti	◆ Quest'anno cercherò un nuovo lavoro. ◆ Studierò giorno e notte per prendere la laurea.
2. Fare previsioni	◆ Secondo me, stasera pioverà. ◆ Diventerai un bravissimo avvocato!
3. Fare ipotesi	◆ - Che ore sono? - Saranno le 2. ◆ È abbastanza giovane, non avrà più di trent'anni.
4. Fare promesse	◆ Va bene, domani finirò tutto! ◆ Hai ragione! Quest'anno studierò di più!
5. Periodo ipotetico	◆ Se domani farà bel tempo, andremo al mare. ◆ Se la Roma continua così, vincerà il Campionato.

6 - 11

B In treno

1 Lavorate in coppia. Guardate le foto e immaginate il significato di queste parole:

biglietteria controllo passeggero binario

2 Ascoltate e abbinate i brani alle foto. Attenzione: c'è una foto in più!

3 **Adesso leggete i testi e confermate le vostre risposte.**

1. ◆ Scusi, signorina, questa è la seconda classe, vero?
   ◆ Sì, è la seconda.
   ◆ Grazie mille!

2. ◆ Biglietti, prego!
   ◆ Ecco.
   ◆ Grazie!

3. ◆ Scusi, questo è il treno per Firenze, vero?
   ◆ Sì, signora, è questo.
   ◆ Grazie!

4. ◆ A che ora parte il prossimo treno per Firenze?
   ◆ C'è l'Intercity fra venti minuti e l'Eurostar alle 4.
   ◆ Allora... un biglietto per l'Intercity.
   ◆ Andata e ritorno?
   ◆ No, solo andata. Quant'è?
   ◆ Con il supplemento... sono 21 euro e 95 centesimi.

5. ◆ Attenzione! L'Intercity 703 per Firenze - Bologna - Milano, è in arrivo al binario 8 anziché al binario 12.

4 **Lavorate in coppia. Sottolineate nei dialoghi precedenti parole e frasi utili per viaggiare in treno.**

5 **Completate i mini dialoghi.**

1. ● Un biglietto per Venezia, per favore.
   ● ....?
   ● No, solo andata. Quant'è?
   ● ....

2. ● .... per Roma?
   ● L'Eurostar delle 11.

3. ● ....?
   ● Fra mezz'ora.
   ● ....?
   ● Dal binario sei.

4. ● Scusi, è questo il treno che va a Venezia?
   ● ....

6 *Role-play*

A: Sei alla stazione di Firenze e vuoi prendere il prossimo treno per Roma. Chiedi all'impiegato della biglietteria (*B*) informazioni sull'orario, il prezzo, il binario ecc. Infine, paghi il biglietto e ringrazi.

B: Sei l'impiegato della biglietteria: devi rispondere a tutte le domande di *A*. Puoi consultare la mappa di pagina 27.

C In montagna

1 **Tre coppie passeranno la settimana bianca sulle Alpi. Leggete il dialogo.**

Simona: Quando partirete per le Alpi?
Nadia: La mattina del 23.
Simona: Ma Teresa non lavora quel giorno?
Nadia: Sì, infatti, partirà quando avrà finito il turno.
Simona: Davide e Chiara, invece, partiranno con voi?
Nadia: No, loro verranno dopo che saranno passati dai genitori di Chiara.
Simona: Ho capito. E quando tornerete?
Nadia: Io e Matteo ripartiremo il 2 gennaio.
Simona: Che bello! Quando tornerete voglio sapere tutto!
Nadia: Va bene. Ti chiamerò non appena sarò tornata!

2 **Indicate le affermazioni giuste.**

1. Nadia e Matteo arriveranno dopo Teresa.
2. Teresa partirà per la montagna dopo il lavoro.
3. Davide e Chiara passeranno prima dai genitori di lei.
4. Nadia chiamerà Simona prima di arrivare a casa.

3 **Quando usiamo il futuro composto (come ad esempio "avrà finito", "saranno passati")? Osservate.**

Futuro composto

Federico verrà	dopo che (non) appena quando	**avrò/avrai/avrà mangiato** **avremo/avrete/avranno studiato**	**sarò/sarai/sarà tornato/a** **saremo/sarete/saranno arrivati/e**

Uso del futuro composto

passato prossimo	presente	**futuro composto**	futuro semplice
l'anno scorso *ho fatto un viaggio*	di solito *viaggio* in aereo	dopo che ***avrò finito*** *gli esami...* **1ª azione futura**	*...**farò** un viaggio* **2ª azione futura**

Nota: È lo stesso se diciamo: *Farò un viaggio* (2ª azione) *dopo che avrò finito gli esami* (1ª azione)

4 **Osservate di nuovo la tabella e rispondete secondo il modello.**

Quando torni? *(dopo che / finire)*
⇨ *Tornerò dopo che avrò finito.*

1. Quando partiremo per le isole Canarie? *(dopo che / vincere al lotto)*
2. A che ora verrà Giulio? *(dopo che / passare / da sua sorella)*
3. Quando andrà a vivere da sola Cristina? *(quando / trovare lavoro)*
4. Quando andrai in vacanza? *(appena / dare l'esame)*
5. Mauro verrà o no? *(sì, appena / finire di studiare)*

12 - 15

D Che tempo farà domani?

29 **1** **Ascoltate il dialogo e indicate quali affermazioni sono corrette.**

1. Claudio ha dei dubbi sulla gita perché
   - a. è stanco
   - b. fa un po' freddo
   - c. tira vento

2. Secondo Valeria il giorno dopo
   - a. pioverà
   - b. il cielo sarà nuvoloso
   - c. farà bel tempo

3. Claudio ricorda a Valeria che
   - a. sono andati al mare una settimana prima
   - b. pochi giorni prima è piovuto
   - c. fa troppo caldo

4. Alla fine decidono di
   - a. ascoltare le previsioni del tempo
   - b. fare la gita al mare
   - c. rinunciare alla gita

30 **2** **Ascoltate le previsioni del tempo e abbinate le illustrazioni alle parole. Attenzione: ad ogni parte dell'Italia (Sud, Centro, Nord) possono corrispondere più illustrazioni.**

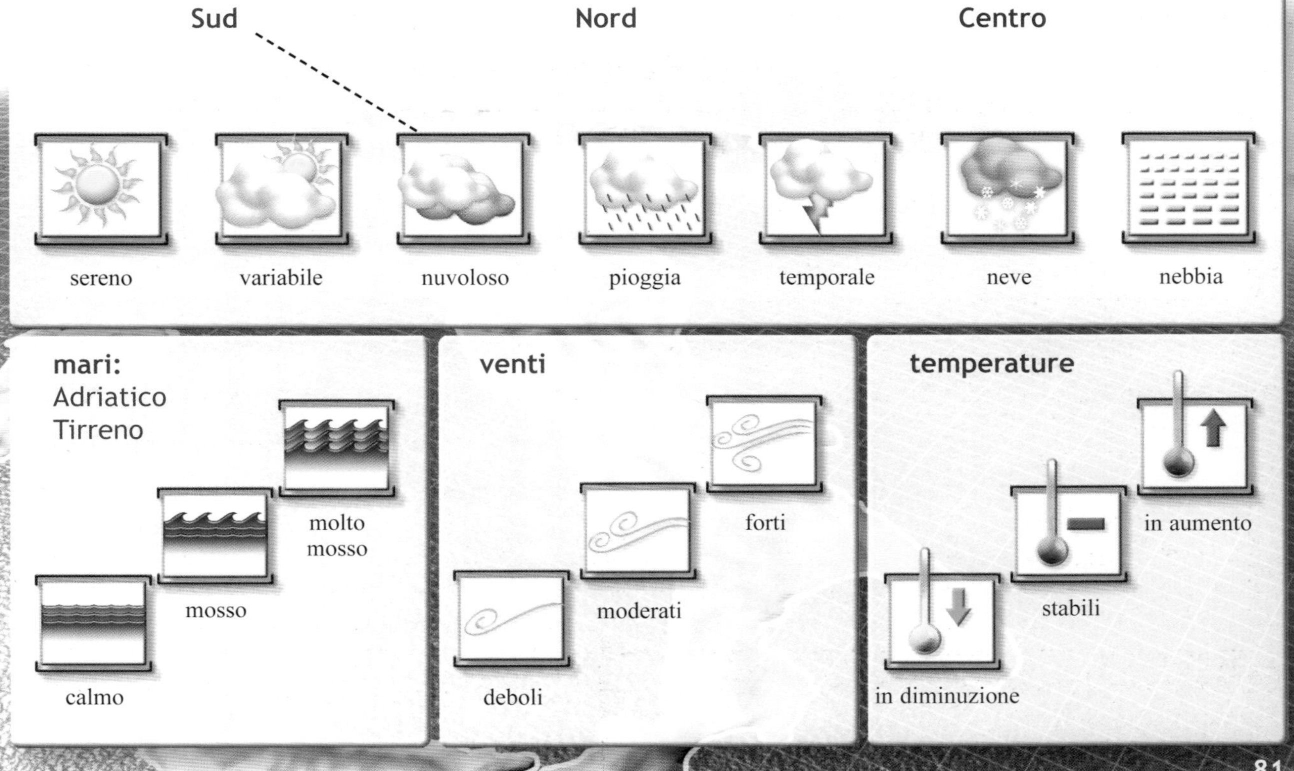

3 **Osservate la tabella e svolgete l'attività 4.**

Che tempo fa? / Com'è il tempo?

Il tempo è bello / brutto	*Fa bel / brutto tempo*
È sereno / nuvoloso	*Fa freddo / caldo*
C'è il sole, la nebbia, vento	*Piove / nevica / tira vento*

Role-play

4 **A coppie fate dei mini dialoghi per parlare del tempo del fine settimana e per decidere dove e in quale giorno fare una gita. Una coppia dovrà scegliere una città del Nord, un'altra del Centro e una terza del Sud Italia. Potete usare espressioni come** "Meglio andarci domenica perché...", "Perché non andiamo a ... che il tempo è...?" **ecc.**

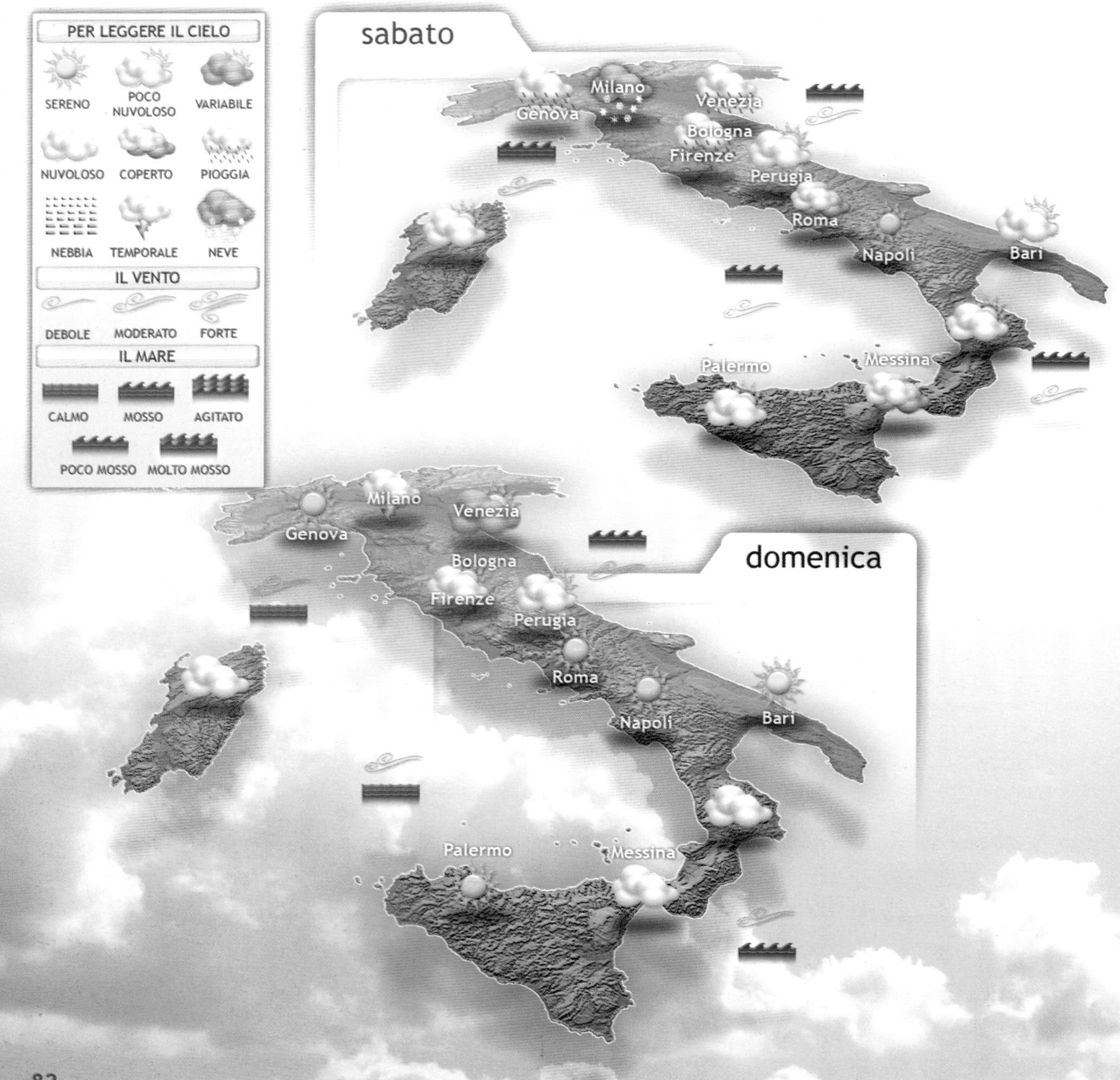

E Vocabolario e abilità

1 **a. Feste. Completate il testo con le parole date.**

Il Natale è la festa .... più importante per gli italiani. In questo periodo c'è un'atmosfera .... dappertutto. Le strade sono illuminate, i negozi e i supermercati affollati. C'è chi cerca dei .... per amici e parenti e chi fa la spesa per il .... di Capodanno: il .... ripieno, lo spumante e, naturalmente, il ...., il tradizionale dolce di Natale. Per molti questo è il periodo della cosiddetta "settimana ...." che vede le Alpi e le altre montagne d'Italia piene di turisti, italiani e stranieri.
Altre feste importanti sono l'Epifania, la Pasqua, il ...., quando "ogni scherzo vale" (cioè è permesso), e Ferragosto.

speciale
tacchino
panettone
bianca
Carnevale
religiosa
regali
cenone

b. Viaggi. Abbinate le parole, come nell'esempio.

località	treno
scompartimento	bagagli
crociera	destinazione
valige	nave

supplemento	camera
binario	prezzo
prenotazione	Intercity
tariffa	stazione

2 **Parliamo**

1. Quali sono le feste più importanti nel vostro paese?
2. Di solito, come passate il giorno di Natale? E il Capodanno?
3. Raccontate come avete trascorso le ultime feste (quando, dove, con chi ecc.).
4. Parlate dei paesi che avete visitato. Quali volete visitare in futuro e perché?
5. Che tempo ha fatto ieri nel vostro paese? Quali sono le previsioni per domani?

31 **3** **Ascolto** Quaderno degli esercizi

4 **Scriviamo**

Hai ricevuto un invito per le feste da un amico che vive a Perugia. Nella tua risposta ringrazi, spieghi perché non puoi accettare l'invito e parli dei programmi che hai per quei giorni di festa. *(80-100 parole)*

Test finale

Gli italiani e le feste

Natale: i bambini aspettano Babbo Natale che porta i doni*, insieme agli adulti addobbano* l'albero di Natale e fanno il presepe. Il tacchino farcito*, il pollo arrosto o altre specialità regionali, lo spumante e, infine, il panettone e il pandoro si trovano su quasi tutte le tavole italiane.

Babbo Natale e la Befana a Piazza Navona, Roma.

Epifania: il 6 gennaio i bambini appendono delle calze al camino per la Befana, una vecchietta che porta dolci e regali ai bambini buoni e carbone a quelli cattivi!

Il torrone (qui nella foto), il panettone e il pandoro, sono i tradizionali dolci di Natale.

Il Carnevale di Venezia

Il Palio di Siena

Carnevale: a Carnevale tutti si mascherano, ballano e festeggiano. Famoso in tutto il mondo, per i bellissimi costumi e le maschere, è il Carnevale di Venezia. Molto noto anche quello di Viareggio.

Pasqua: la Pasqua cattolica cade sempre di domenica, tra il 22 marzo e il 25 aprile. I bambini ricevono l'uovo di cioccolata che nasconde una sorpresa. *"Natale con i tuoi, Pasqua con chi vuoi"* dice un proverbio italiano.

25 aprile: è una festa nazionale per gli italiani, l'anniversario della fine della seconda guerra mondiale (1945). Il **2 giugno**, invece, si ricorda la nascita della Repubblica italiana (1946).

Ferragosto: il 15 agosto, durante le vacanze estive, si celebra l'ascesa* al cielo della Vergine Maria.

Infine, ci sono tantissime **feste popolari**: il *Palio** di Siena e quello di Asti, la *Regata* Storica* di Venezia, la *Giostra* del Saracino* ad Arezzo ecc.

Segnate le affermazioni esatte.

- ☐ 1. A Natale i bambini trovano i regali nelle calze che appendono.
- ☐ 2. Il pranzo di Natale è molto importante per la famiglia.
- ☐ 3. In Italia il Carnevale si festeggia solo a Venezia.
- ☐ 4. A Pasqua le uova contengono delle sorprese per i bambini.
- ☐ 5. Il 25 aprile si festeggia l'Unità d'Italia.

Glossario: doni: regali; addobbare: abbellire; farcito: ripieno; ascesa: assunzione, salita; Palio: gara a cavallo; regata: gara tra barche; Giostra: gara tra cavalieri armati.

I treni in Italia

Gli italiani viaggiano spesso in treno per distanze sia brevi che lunghe. La rete ferroviaria italiana copre tutto il territorio nazionale e la qualità dei servizi offerti è piuttosto alta. Esistono treni e servizi per ogni esigenza*:

Treni per il trasporto locale: il **Locale** o **Regionale** collega piccole città all'interno della stessa regione, si ferma in tutte le stazioni e offre posti di sola 2ª classe. Il **Diretto** fa meno fermate del regionale. L'**Interregionale**, infine, collega città di regioni vicine e fa ancora meno fermate.

L'**Intercity** e il più moderno **Intercity Plus**, sono treni molto veloci, coprono tutto il territorio e offrono un alto livello di comodità. Si fermano solo nelle principali città.

L'**Eurostar** (ES) è un treno molto moderno che offre alti standard di comfort* e velocità. Viaggiando a 250 km orari, collega le città più importanti e offre anche servizi di ristorazione. Il biglietto include la prenotazione del posto, in 1ª o in 2ª classe. In più ci sono i **Treni ad Alta Velocità**: sono ancora più rapidi, lussuosi* e, ovviamente, cari. Creati dal famoso designer Giugiaro, viaggiano su alcune linee ad oltre 300 km all'ora e collegano le grandi città in tempi molto brevi.

Esistono molte agevolazioni* per chi usa spesso il treno: giovani, anziani, turisti, scuole, passeggeri dell'Eurostar ecc.

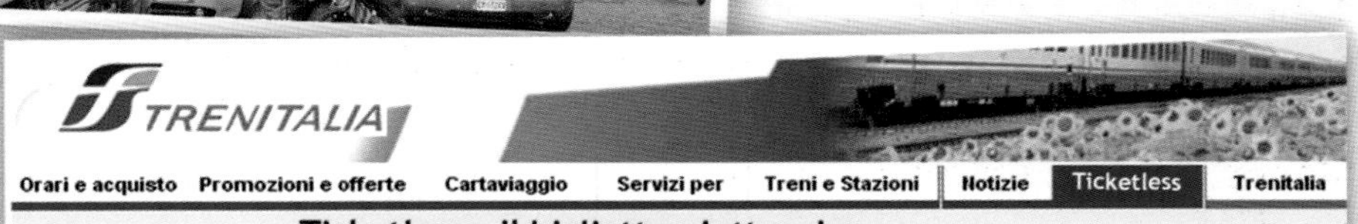

Ticketless - il biglietto elettronico

- Reclami e Suggerimenti
- FAQ - Domande frequenti
- Call Center
- sms2go
- Carta dei Servizi
- Condizioni di trasporto

Cos'è
È una modalità di acquisto attiva su tutti i treni Eurostar, Intercity ed Intercity Plus, sia in 1ª che in 2ª classe, che ti permette di salire a bordo senza la necessità di dover ritirare il biglietto.

I Vantaggi
Potrai acquistare comodamente su Internet o per telefono - fino a 10 minuti prima della partenza del treno - eliminando i tempi di attesa per il ritiro presso le Self Service o per l'acquisto allo sportello.

Dove si acquista:
Con Carta di Credito sul sito e al Call Center di Trenitalia.

Come funziona:
Per gli acquisti online: riceverai un'e-mail di conferma di acquisto con tutte le informazioni relative alla carrozza ed ai posti assegnati. Una volta saliti sul treno sarà sufficiente fornire il codice ricevuto al Personale di Bordo che provvederà a stampare il biglietto. Ricorda che per i viaggi in IC e in IC Plus è necessario acquistare la prenotazione del posto oltre al semplice biglietto.

tratto da www.trenitalia.it

Leggete i testi e rispondete brevemente alle domande.

1. Perché gli italiani viaggiano spesso in treno?
2. In cosa differiscono il Regionale, il Diretto e l'Interregionale?
3. Che differenze ci sono tra l'Intercity e l'Eurostar?
4. Qual è il vantaggio del biglietto elettronico?

Glossario: esigenza: bisogno, necessità; comfort: comodità; lussuoso: particolarmente raffinato e costoso; agevolazione: facilitazione, offerta.

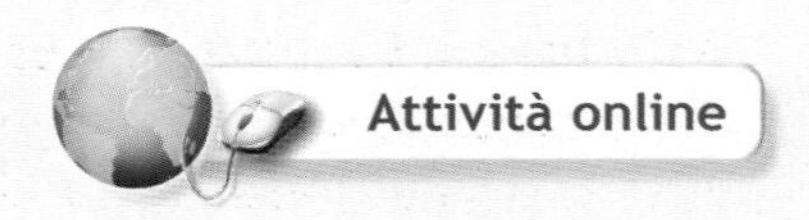

Autovalutazione
Cosa avete imparato nelle unità 4 e 5?

1. Sapete...? Abbinate le due colonne.

1. fare previsioni
2. fare ipotesi
3. parlare del tempo
4. parlare di progetti
5. fare promesse

a. *L'anno prossimo comprerò un nuovo computer.*
b. *Vedrai che alla fine Antonia sposerà Carlo.*
c. *Fa freddo oggi, vero?*
d. *Anna? Non avrà più di 20 anni.*
e. *Sarò puntuale questa volta.*

2. Abbinate le frasi.

1. Un biglietto per Roma con l'Eurostar.
2. Che tempo fa oggi da voi?
3. Offro io, cosa prendi?
4. Il treno va direttamente a Firenze?
5. Quando sei nato?

a. Brutto, molto brutto.
b. No, bisogna cambiare a Bologna.
c. Andata e ritorno?
d. Il 3 aprile dell'89.
e. Un caffè macchiato, grazie!

3. Completate.

1. Tre tipi di treni: ....
2. Tre feste italiane: ....
3. Il passato prossimo di *prendere* (prima persona singolare): ....
4. Il futuro semplice di *venire* (prima persona singolare): ....
5. Il futuro composto di *partire* (prima persona singolare): ....

Le due torri, **Bologna**

4. Scoprite la parola estranea in ogni gruppo.

1. pioggia neve vento sole ombrello
2. treno aereo aeroporto nave pullman
3. libri caffè gelati dolci panini
4. stazione biglietteria binario prenotazione panettone
5. Palio di Siena Natale Pasqua Epifania Ferragosto

Verificate le vostre risposte a pagina 191. Siete soddisfatti?

A cena fuori

Per cominciare...

1 Osservate le foto. Quali di questi locali sono adatti per una famiglia, quali per un pasto veloce e qual è il più adatto per una cena romantica?

32 2 Quando una cena al ristorante può creare problemi a una coppia? Scambiatevi idee e ascoltate il dialogo per scoprire cos'è successo a Elena.

32 3 Ascoltate di nuovo e scegliete l'affermazione giusta.

1. Elena ha litigato con
   - a. una sua amica
   - b. tutte le sue amiche
   - c. sua madre

2. Carla è andata a cena con
   - a. il suo migliore amico
   - b. il ragazzo di Elena
   - c. Elena

In questa unità...

1. *...impariamo a esprimere possesso, a parlare della famiglia, a ordinare al ristorante, a esprimere preferenza, a parlare di pasti e piatti;*
2. *...conosciamo il resto dei possessivi, le particolarità di* quello/bello *e le forme* volerci/metterci;
3. *...troviamo una tipica ricetta italiana, informazioni e curiosità sulla storia della pasta, della pizza e sulle abitudini degli italiani a tavola.*

A Problemi di cuore

1 Ascoltate e leggete il testo per verificare le vostre risposte all'attività precedente.

madre: Elena?! Come mai ancora qui? Non esci stasera?

Elena: No, mamma, stasera resto a casa.

madre: Strano! È successo qualcosa?

Elena: Niente... ho litigato con Carla e non ho voglia di andare da nessuna parte.

madre: Con Carla?!

Elena: Sì, proprio con lei! La mia "amica del cuore"!

madre: Ma perché, cos'è successo?

Elena: È successo che ieri è andata a cena con Franco!

madre: E allora?

Elena: Franco è il mio ragazzo!

madre: Ah, interessante! E questo Franco, cosa dice di tutta questa storia?

Elena: Che è libero di fare quello che vuole: vedere i suoi amici o le sue amiche senza chiedere il mio permesso.

madre: E tu cosa hai risposto?

Elena: Che come è libero lui sono libera anch'io e infatti ho già telefonato al suo migliore amico: domani andremo a cena fuori!!!

2 **Leggete e sottolineate.**

Lavorate in coppia. Leggete il dialogo. Poi sottolineate nel testo tutti i possessivi che potete riconoscere.

3 **Rispondete alle domande.**

1. All'inizio la madre di Elena sembra quasi sorpresa; di che cosa?
2. Come ha giustificato Franco il suo comportamento?
3. Cosa ha risposto Elena?

4 **Il padre di Elena capisce che qualcosa non va e chiede spiegazioni alla figlia. Completate il loro dialogo con i possessivi dati.**

padre: Tua madre dice che hai litigato con i ...*tuoi*... amici. È vero?
Elena: Non ho litigato con tutti i .... amici, ma solo con Carla.
padre: Ah... e come mai avete litigato?
Elena: Perché fa il filo al .... ragazzo: ieri sono andati a cena insieme!
padre: Ho capito... Ma, hai parlato con lui? Cosa dice?
Elena: Dice che è libero di uscire con i .... amici e le .... amiche. E poi dice che la colpa non è ...., ma .... perché anch'io esco con i .... amici.
padre: Beh, se è così...
Elena: Ma tu con chi stai?! Con me o con gli altri? Solo la .... mamma mi capisce!

mia, sua, miei, mio, ***tuoi****, sue, mia, suoi, miei*

5 **Scrivete un breve riassunto (*40-50 parole*) di cosa è successo a Elena.**

....

....

....

....

....

....

6 In coppia completate la tabella.

I possessivi (2)

io	Il **mio** motorino è costato 2.000 euro. Verrà anche una **mia** amica. I .... genitori sono abbastanza giovani. Mamma, hai visto le **mie** calze blu?
tu	Il **tuo** comportamento non è stato corretto! Stasera veniamo a casa **tua**. Mi piacciono i .... occhi. Alcune delle **tue** idee sono interessanti, altre no.
Sergio	Un **suo** cugino ha sposato una mia amica. Se vedi la .... fidanzata, perdi la testa! Non parla mai dei **suoi** progetti futuri. È grazie alle **sue** conoscenze che ha trovato questo lavoro.
Marina	Bella la festa di Marina! E il .... appartamento, enorme! Io ho conosciuto una **sua** amica, Rita. Molto simpatica! Sì, anche i **suoi** genitori sono delle persone serie. Sì. E poi tutte le **sue** amiche mi sono sembrate carine.
signor Vialli	Signor Vialli, ha trovato il **Suo** orologio? La **Sua** casa è veramente molto bella. Signor Vialli, quanti anni hanno i **Suoi** figli? Complimenti! Ho seguito molte delle **Sue** conferenze.
noi	Il **nostro** palazzo è quello lì all'angolo. La **nostra** famiglia è molto legata. Stasera verranno a cena i .... amici. Le **nostre** case sono molto vicine.
voi	Come si chiama quel **vostro** amico di Palermo? La **vostra** macchina nuova è fantastica! I **vostri** vicini di casa non ci sono mai? Parlate delle .... preferenze musicali.
Renato e Nadia	Il **loro** negozio va molto bene. Devi vedere la **loro** casa di campagna, è stupenda! Anche Renato e Nadia hanno i **loro** problemi. Le **loro** feste non sono tanto divertenti.

7 Costruite frasi secondo il modello.

So che hai dei problemi. *(gravi)*
➪ *So che i tuoi problemi sono gravi.*

1. I miei hanno un bar. *(piccolo)*
2. Ho molti amici. *(giovani)*
3. So che avete dei progetti. *(importanti)*
4. Ho sentito che Anna ha due cugine. *(simpatiche)*
5. Abbiamo una figlia. *(molto intelligente)*

1 - 8

B La famiglia

1 **Lavorate in coppia. Osservate l'albero genealogico e rispondete alle domande. Cercate nella tabella in basso le parole che non conoscete.**

Che rapporto di parentela hanno:

Luigi e Monica?
Giuseppe e Luigi?
Monica e Susanna?
Giovanni e Monica?
Massimo e Patrizia?

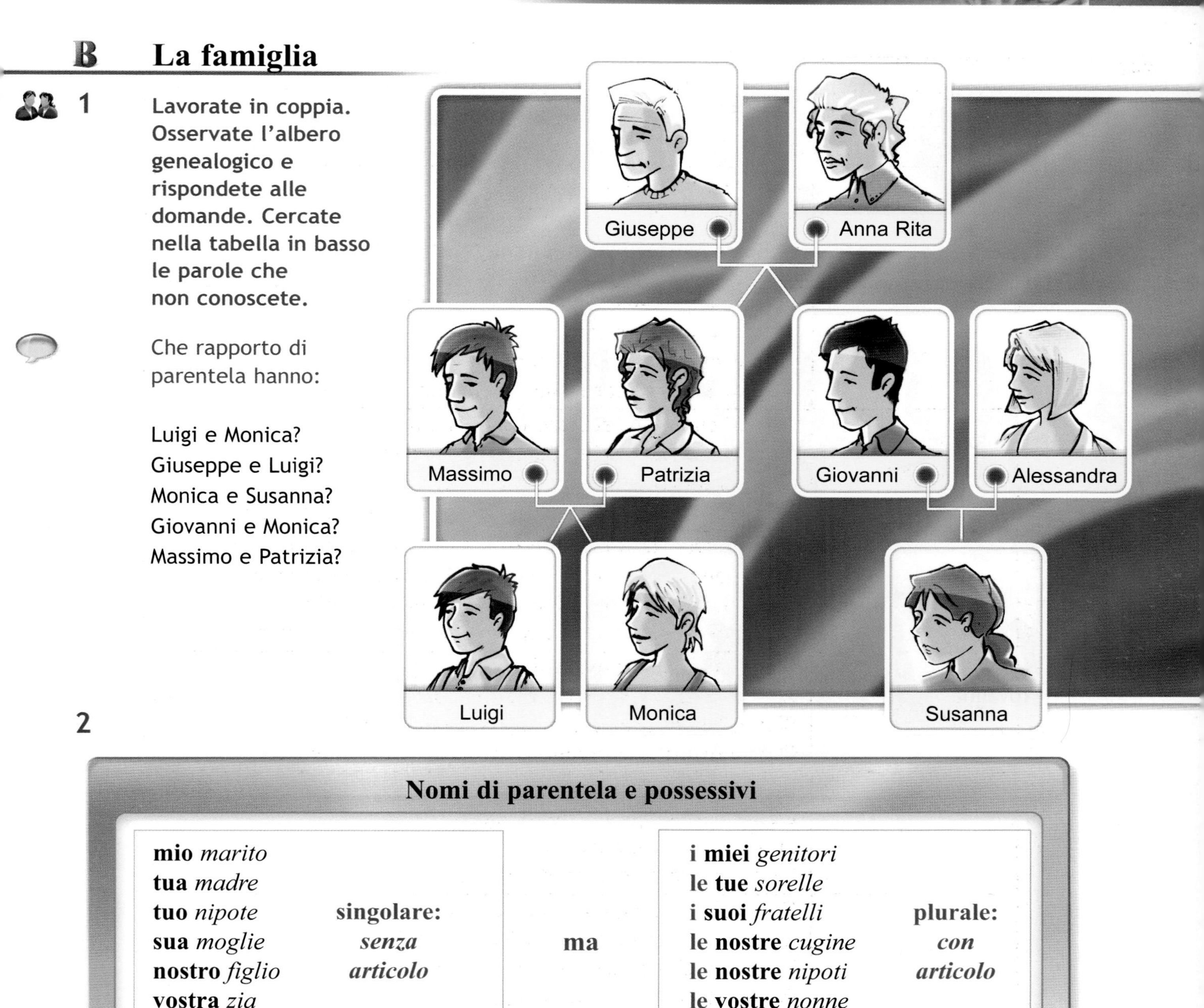

2

Nomi di parentela e possessivi

mio *marito* **tua** *madre* **tuo** *nipote* **sua** *moglie* **nostro** *figlio* **vostra** *zia*	**singolare:** ***senza articolo***	**ma**	**i miei** *genitori* **le tue** *sorelle* **i suoi** *fratelli* **le nostre** *cugine* **le nostre** *nipoti* **le vostre** *nonne*	**plurale:** ***con articolo***

Attenzione!
1. la mia *mamma*, il vostro *papà*, la mia *sorellina*, il nostro *nipotino* ecc.
2. il loro padre, la loro zia, il loro fratello, la loro madre ecc.

3 **Rispondete alle domande secondo il modello.**

Chi viene con te? *(cugina)*
➪ *Viene mia cugina.*

1. Con chi sei andato al cinema? *(sorella)*
2. Con chi ha litigato Mario? *(padre)*
3. Di chi parlate, ragazze? *(mamma)*
4. Da chi siete andati ieri? *(cugini)*
5. A chi ha telefonato Sara? *(nonno)*
6. Di chi è questa bici, Marco? *(fratellino)*

9 - 11

4 Lavorate in coppia. Scambiatevi informazioni sulle vostre famiglie: quanti anni ha ogni membro, come è (alto/basso, biondo/bruno...), cosa fa ecc. Alla fine, ognuno dovrà riferire al resto della classe le informazioni ricevute dal suo compagno.

C Al ristorante

1 Inserite queste parole al posto giusto: *piatto, bicchiere, cucchiaio*

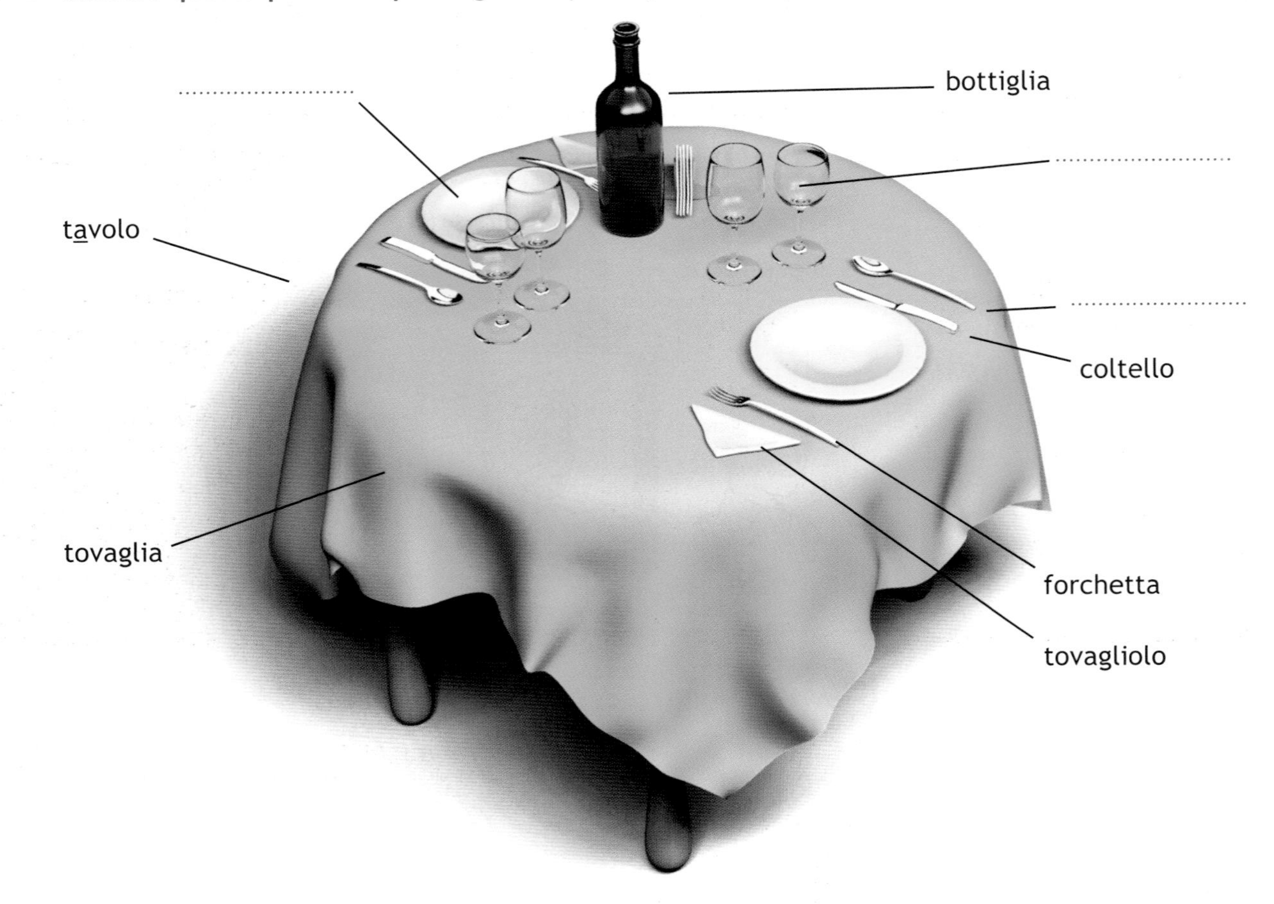

2 Ascoltate il dialogo e indicate se le frasi che seguono sono presenti o no.

	sì	no
1. uno dei più bei ristoranti della zona		
2. ho una fame da lupi		
3. hai bisogno di aiuto?		
4. perché non provi qualcos'altro?		
5. è molto saporito		
6. com'è questo piatto?		
7. a me piacciono molto		
8. ti piacerà		
9. vorrei provare il vitello alle verdure		
10. a me piace l'insalata verde		

33 **3** Ascoltate di nuovo e abbinate le immagini al tipo di portata, come nell'esempio.

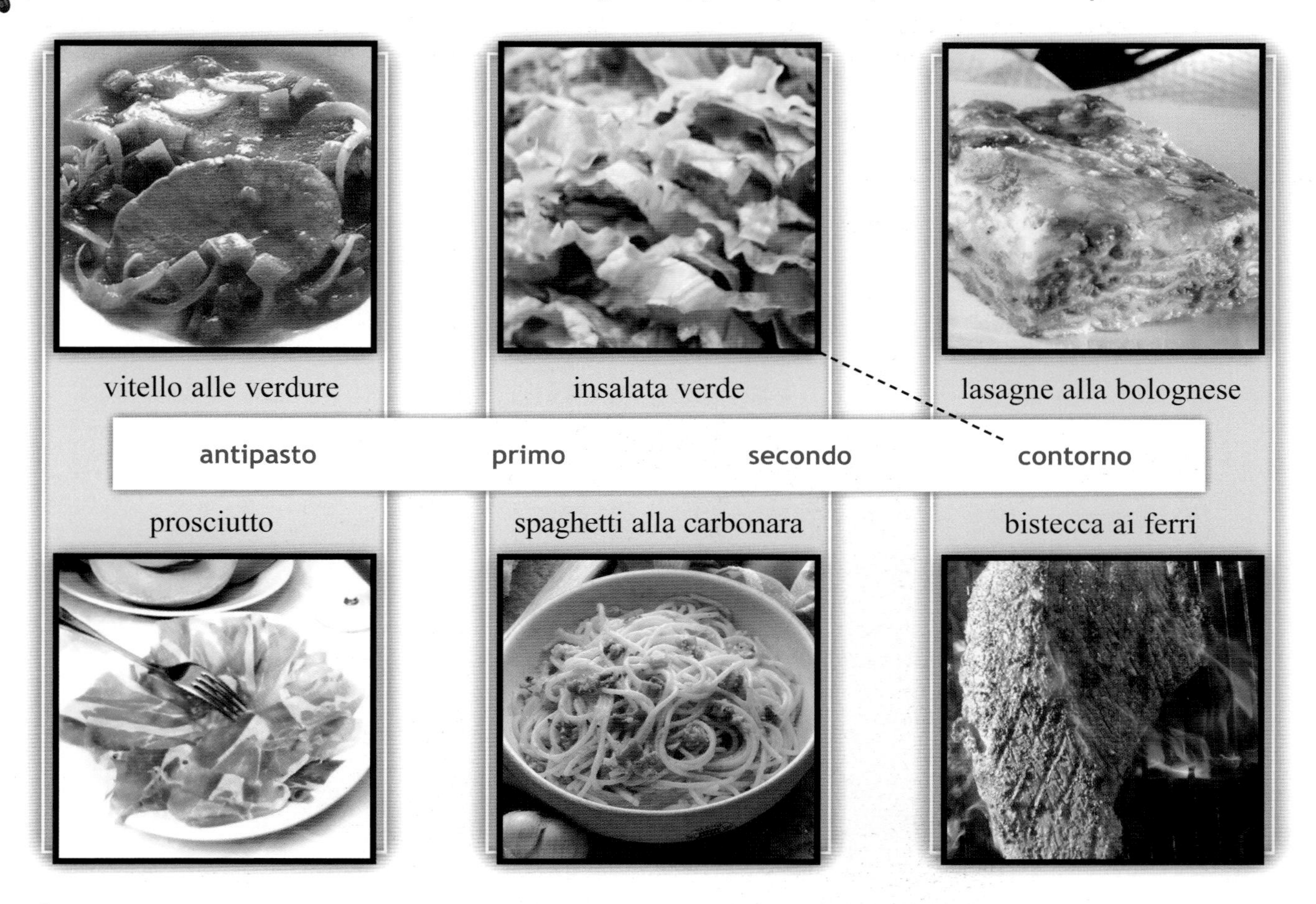

4 Osservate:

vorrei	una bistecca un antipasto freddo	
	mangiare	un gelato
	provare	la specialità della casa / del ristorante
	bere	un bicchiere di vino

(non) **mi piace**	la pasta al dente la cucina italiana	
	mangiare	fuori
	provare	qualcosa di nuovo
	saltare	il primo

(non) **mi piacciono**	gli spaghetti al pesto i piatti piccanti i dolci

Mi piace molto il pesce.	➪	**A me** non piace affatto!
Mi piacciono le lasagne.	➪	**A me**, invece, piacciono i tortellini.
Ti piace la carne?	➪	Sì, perché, **a te** non piace?
Ti piacciono le olive?	➪	A me molto, **a te**?

5 **Leggete il menù e dite quali piatti conoscete, quali preferite e quali desiderate provare.**

12 e 13

6 **Ascoltate le ordinazioni di due coppie e indicate che cosa hanno ordinato scrivendo, accanto ai piatti, *1* per la prima coppia e *2* per la seconda.**

34

Ristorante - Pizzeria

Da Carlo

Antipasti
Prosciutto di Parma
Bruschetta
Antipasto misto
Salmone affumicato

Primi
Spaghetti al ragù
Spaghetti alla carbonara
Penne all'arrabbiata
Farfalle ai quattro formaggi
Lasagne alla bolognese
Tortellini al formaggio
Fettuccine ai funghi
Rigatoni al sugo
Linguine al pesto
Risotto ai frutti di mare

Secondi
Bistecca ai ferri
Pollo all'aglio
Scaloppine ai funghi
Involtini alla romana
Vitello
Maialino al forno
Filetto

Contorni
Insalata mista
Insalata verde
Insalata Caprese

Ristorante - Pizzeria

Da Carlo

Pizze
Margherita
Marinara
Napoletana
Romana
Siciliana
Funghi
Prosciutto
4 stagioni
Calzone

Dolci - frutta
Tiramisù
Panna cotta
Creme Caramel
Torta di mele
Frutta fresca di stagione

Vini
Chianti
Orvieto
Lambrusco
Sangiovese
Barolo
Pinot Grigio

Bevande - birre
Coca Cola
Acqua minerale
Nastro Azzurro
Peroni

7 **A coppie o a piccoli gruppi fate le vostre ordinazioni: cosa prendete per antipasto, per primo, per secondo, per contorno, quale dolce ecc.**

8 **Scegliete la parola giusta per completare le frasi.**

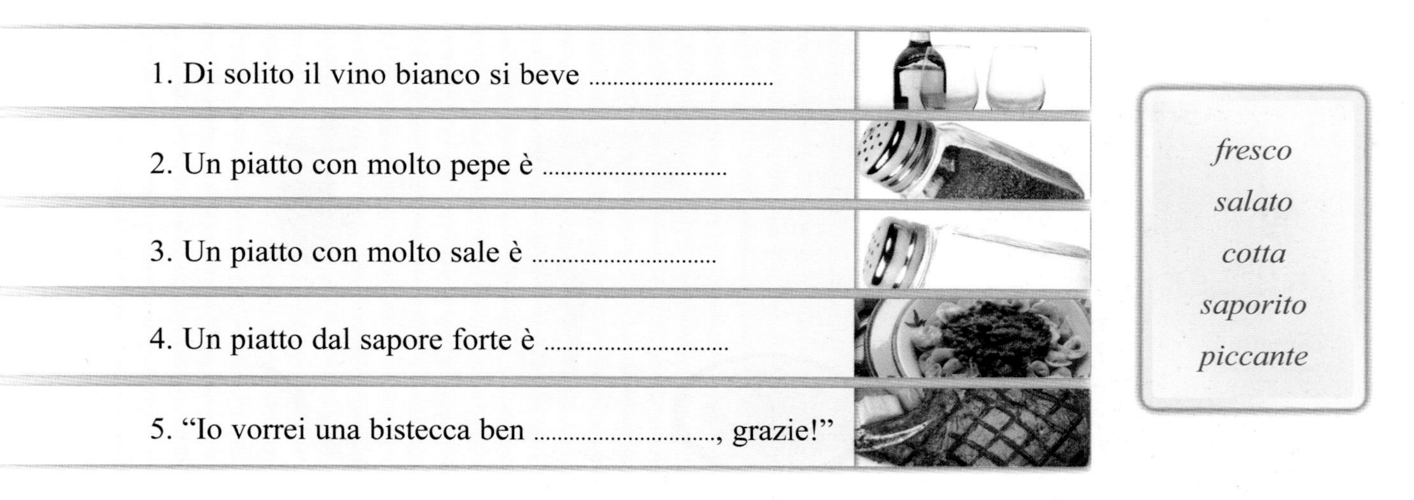

1. Di solito il vino bianco si beve ....
2. Un piatto con molto pepe è ....
3. Un piatto con molto sale è ....
4. Un piatto dal sapore forte è ....
5. "Io vorrei una bistecca ben ...., grazie!"

fresco
salato
cotta
saporito
piccante

D Facciamo uno spuntino?

1 **Leggete il dialogo e rispondete alle domande che seguono.**

Sara: Ho un po' di fame, facciamo uno spuntino?

Mia: Ma è presto... fra un'ora e mezza c'è la pausa pranzo. Non hai fatto colazione?

Sara: Io non mangio mai niente la mattina. Siccome ho sempre fretta, al massimo bevo un caffè.

Mia: Fai molto male! Ci vogliono pochi minuti per fare colazione ed è il pasto più importante della giornata. Io bevo sempre un caffelatte e mangio fette biscottate con burro e miele, così a pranzo non ho molta fame.

Sara: Veramente?! Ieri, però, hai preso primo, secondo, contorno e dolce...

Mia: ...È vero, però dopo, a cena non ho mangiato niente. Comunque, di solito preferisco una cena leggera: un'insalata, della frutta... cose che ci metto poco a preparare.

Sara: Io, in genere, se mangio molto a pranzo, salto sempre la cena. Faccio merenda verso le sei del pomeriggio e sono a posto.

Mia: Io, in ogni caso, cerco di cenare presto, non dopo le otto. E tu?

Sara: Anch'io, più o meno a quell'ora lì.

1. Perché Sara ha fame? Cosa beve di solito a colazione e perché?
2. Cosa mangia Mia la mattina?
3. Che cosa mangiano a cena le due ragazze? E di solito a che ora cenano?

2 Osservate le immagini e in coppia esprimete le vostre preferenze a colazione. Potete usare espressioni come: *a me piace..., preferisco..., (non) mangio...* ecc.

3 Osservate queste frasi:

"Che bel dolce!" "Quel ristorante è ottimo!"

quello / bello

il ristorante	➪	**quel/bel** ristorante	**quei/bei** ristoranti
lo spettacolo	➪	**quello/bello** spettacolo	**quegli/begli** spettacoli
l'uomo	➪	**quell'/bell'**uomo	**quegli/begli** uomini

Nota: *quello* e *bello* cambiano davanti al nome, ma non dopo.
Esempio: *È un uomo **bello**.*

4 Nel dialogo D1 abbiamo visto: *"Ci vogliono pochi minuti"* e *"cose che ci metto poco a preparare"*. Osservate:

volerci / metterci

5 Costruite due frasi, una con *quello* o *bello* e una con *volerci* o *metterci*.

14 - 16

E Vocabolario e abilità

1 **Abbinate le due colonne secondo l'esempio. Se necessario, usate il dizionario.**

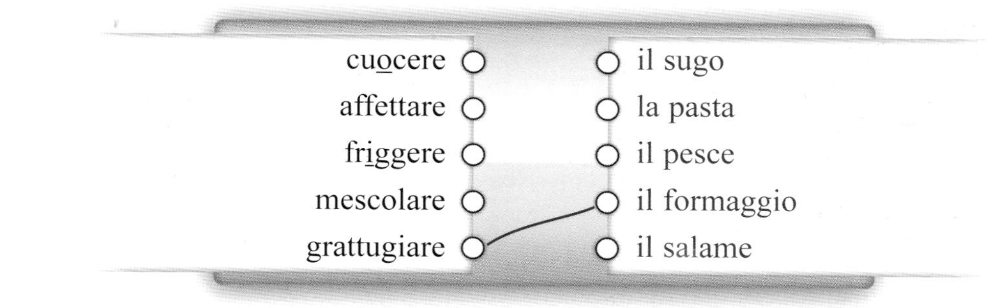

2 **Potete spiegare brevemente a cosa servono questi utensili da cucina?**

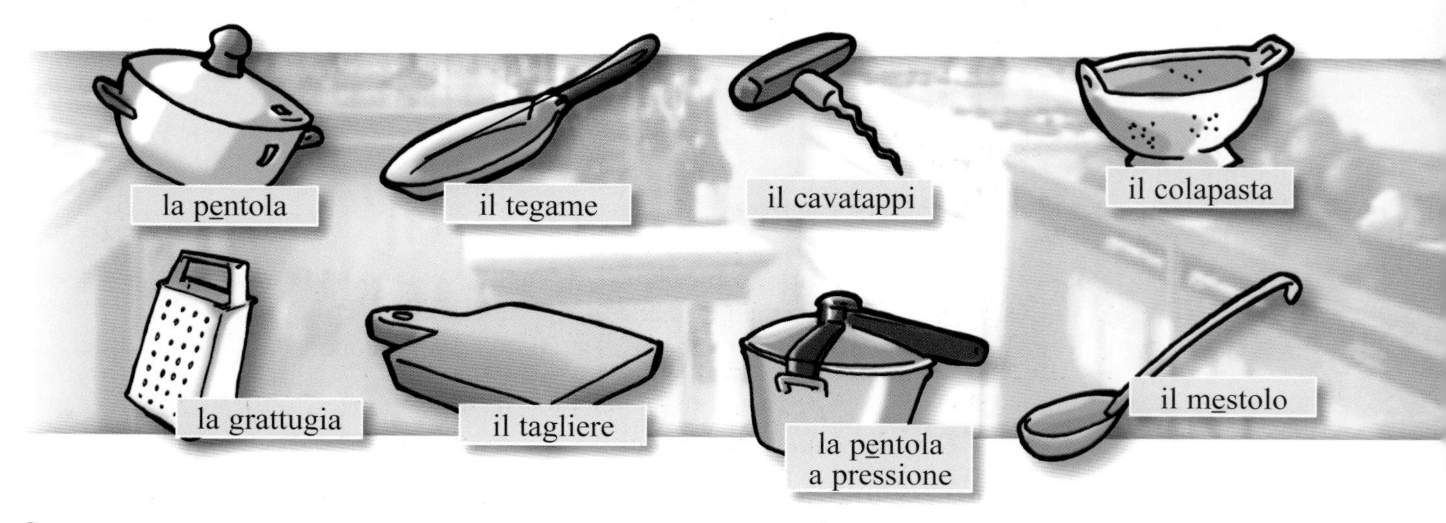

3 **Parliamo**

1. In base a quello che avete letto finora potete trovare differenze o somiglianze tra la cucina del vostro paese e quella italiana?
2. Quali sono i vostri piatti preferiti? Scambiatevi idee.
3. Ci sono piatti o cibi tipici del vostro paese che sono apprezzati all'estero?
4. È apprezzata la cucina italiana da voi? Spiegate (ristoranti, formaggi, vini, altri prodotti alimentari). Quali sono i vostri piatti preferiti?
5. Raccontate l'ultima volta che avete mangiato in un ristorante: in quale occasione, cosa avete ordinato ecc.

4 **Scriviamo**

Un tuo amico italiano farà un viaggio di lavoro nel tuo paese e vuole avere alcune informazioni sulla vostra cucina: piatti, abitudini, tipi di locali ecc. Rispondi, dai le informazioni che ritieni importanti e chiudi parlando di quello che ti piace della cucina italiana. (*80-100 parole*)

Test finale

Gli italiani a tavola

Gli italiani apprezzano la buona cucina, amano sia cucinare che stare a tavola a mangiare, a bere vino e a parlare con parenti e amici, soprattutto la domenica. Grazie alle cucine regionali ci sono moltissimi piatti. Infatti, tutti i popoli che sono passati dall'Italia (francesi, spagnoli, arabi, austriaci ecc.) hanno lasciato le loro ricette e i loro sapori. Oggi la cucina italiana è famosa in tutto il mondo. Dappertutto si trovano pizzerie e ristoranti italiani e molti prodotti, come il Prosciutto di Parma e il Parmigiano Reggiano, sono esportati in molti paesi.

La storia della pasta. Nel lontano 1292, secondo la leggenda*, Marco Polo porta gli spaghetti dalla Cina. Ma un tipo di lasagna, chiamata "lagana" era già nota agli etruschi* e ai romani, poi dimenticata nel Medioevo*. Molto probabilmente sono gli arabi che introducono la pasta nella cucina siciliana intorno al 1100. I siciliani sono stati, infatti, per secoli dei veri maestri nel cucinare la pasta che presto si diffonde in tutta Italia e nel mondo.

La storia della pizza. Nella cucina degli egizi, degli etruschi e dei romani esiste già un tipo di focaccia, una sorta di pane rotondo e sottile*. Nel Rinascimento* serve come piatto per i poveri, che la mangiano alla fine del pasto. Nel Settecento il suo sapore è arricchito dal pomodoro che arriva dall'America: solo allora è apprezzata anche dalle classi più ricche.

Un'altra data importante nella sua storia è il 1899 quando la regina Margherita esprime il desiderio di provare la pizza di Raffaele Esposito, famoso pizzaiolo* di Napoli. L'uomo prepara una pizza tricolore come la bandiera italiana: il verde del basilico, il bianco della mozzarella (per la prima volta) e il rosso del pomodoro, che chiama appunto "Pizza Margherita". Da allora la pizza conquista tutto il mondo.

Indicate le informazioni presenti nel testo.

- ☐ 1. Ci sono piatti diversi in ogni regione d'Italia.
- ☐ 2. Ci sono molti ristoranti italiani in Cina.
- ☐ 3. Ci sono varie teorie sulle origini della pasta.
- ☐ 4. Napoli è considerata il centro della cucina italiana.
- ☐ 5. La pasta non è un'invenzione del tutto italiana.
- ☐ 6. Il pomodoro ha cambiato la storia della pizza.
- ☐ 7. La regina Margherita ha apprezzato molto la "sua" pizza.

Glossario: leggenda: racconto tra storia e fantasia; etruschi: popolo antico vissuto in Italia dal nono al primo secolo a.C.; Medioevo: periodo storico dal 476 al 1492; sottile: di piccolo spessore, basso; Rinascimento: periodo storico dal 1400 al 1550, caratterizzato da un grande rinnovamento artistico e culturale; pizzaiolo: persona che prepara le pizze.

La pasta

1 Lavorate in coppia. Con l'aiuto delle foto mettete in ordine le istruzioni di questa famosa ricetta italiana.

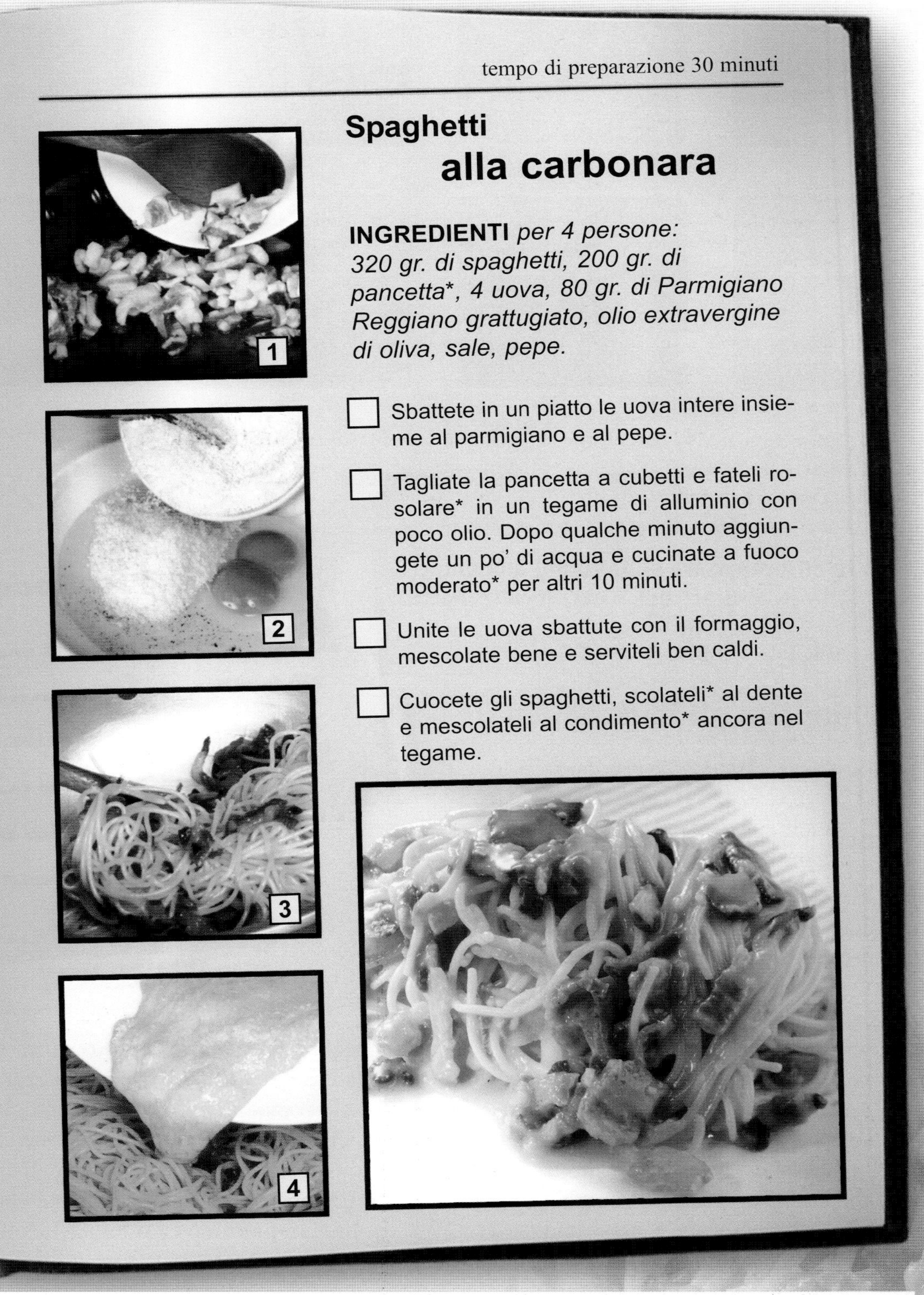

tempo di preparazione 30 minuti

Spaghetti
alla carbonara

INGREDIENTI *per 4 persone:*
320 gr. di spaghetti, 200 gr. di pancetta, 4 uova, 80 gr. di Parmigiano Reggiano grattugiato, olio extravergine di oliva, sale, pepe.*

☐ Sbattete in un piatto le uova intere insieme al parmigiano e al pepe.

☐ Tagliate la pancetta a cubetti e fateli rosolare* in un tegame di alluminio con poco olio. Dopo qualche minuto aggiungete un po' di acqua e cucinate a fuoco moderato* per altri 10 minuti.

☐ Unite le uova sbattute con il formaggio, mescolate bene e serviteli ben caldi.

☐ Cuocete gli spaghetti, scolateli* al dente e mescolateli al condimento* ancora nel tegame.

1 2 3 4

da: *Pastaitalia*

Glossario: pancetta: parte della pancia del maiale (che assomiglia al bacon); rosolare: cuocere a fuoco lento per ottenere un colore bruno-rossastro; moderato: non forte; scolare: togliere l'acqua dalla pasta; condimento: ciò che aggiungiamo al cibo per renderlo più saporito, come olio, sale, aceto ecc.

2 La pasta "al dente", cioè non troppo cotta, è alla base della cucina italiana. Ci sono oggi più di 40 tipi di pasta. Conoscete quelli più noti? Fate gli abbinamenti.

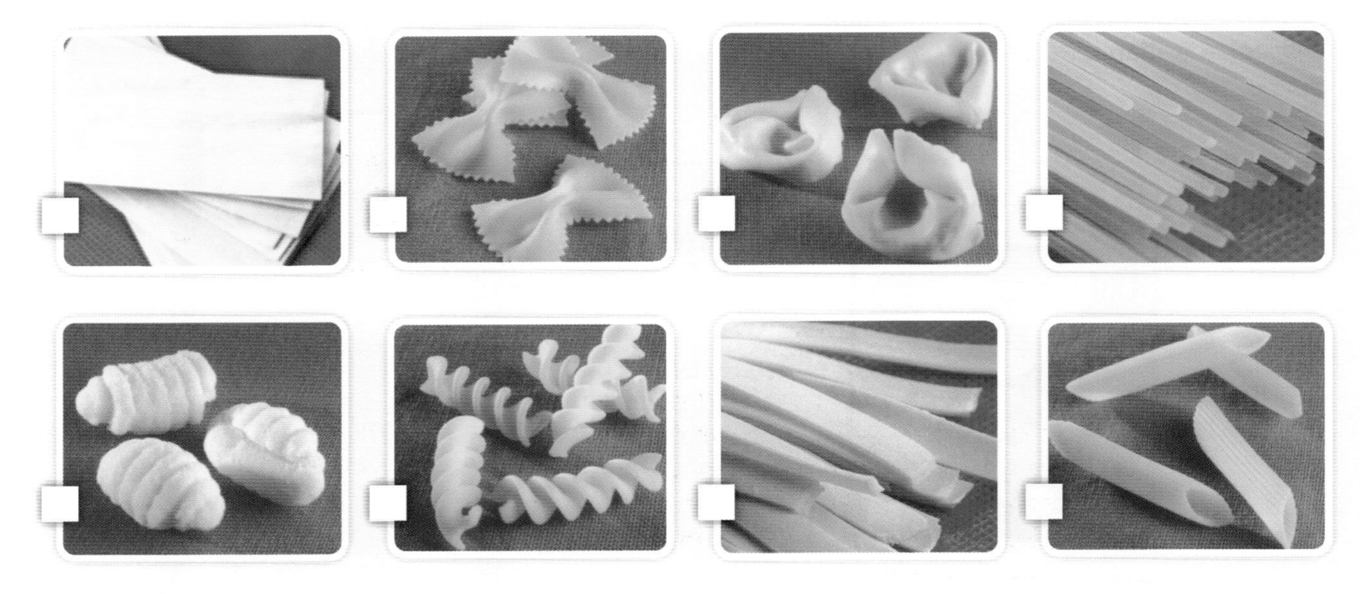

1. tortellini 2. lasagne 3. farfalle 4. gnocchi
5. penne 6. fusilli 7. spaghetti 8. tagliatelle

Quali sono le differenze tra le abitudini alimentari italiane e le vostre: orari dei pasti, locali, piatti ecc.?

Dove mangiano gli italiani...

Completate il testo con le parole date.

piatti fresca pizza locali fuori spuntino

Agli italiani piace mangiare a casa loro e, spesso, a casa di amici. Alcuni fanno da soli la pasta, cosa che richiede molto tempo, oppure comprano pasta 1. .... al supermercato, che è più cara di quella secca, ma anche più buona.
Quando decidono di mangiare 2. ...., hanno parecchie alternative. Al **ristorante** è possibile scegliere tra molti 3. .... e vini, ma generalmente può costare un bel po'. In una **pizzeria** possono ordinare qualsiasi tipo di 4. ...., che non mangiano quasi mai a casa e, ovviamente, la pasta. Le **trattorie** sono 5. .... semplici senza una grande varietà di piatti, in un ambiente meno formale e con prezzi più bassi. Una soluzione simile, ma forse un po' più economica sono le **osterie**, frequentate da quelli che amano mangiare cose semplici e bere qualcosa. Ci sono, infine, molte persone che per mancanza di tempo non pranzano a casa: uno 6. .... al **bar**, in **paninoteca** o un pasto veloce al **fast food** sono per loro una soluzione economica, ma poco nutritiva.

Autovalutazione
Che cosa avete imparato nelle unità 5 e 6?

1. Sapete...? Abbinate le due colonne.

1. esprimere possesso
2. parlare della famiglia
3. esprimere preferenza
4. parlare di progetti
5. parlare dei pasti

a. *A me piace di più la pasta al pomodoro.*
b. *L'anno prossimo faremo il giro d'Italia.*
c. *Tua nonna è molto simpatica.*
d. *Marco non fa mai colazione.*
e. *Questa è la mia macchina nuova.*

2. Abbinate le frasi.

1. Cameriere, mi scusi!
2. Perché non prendi le fettuccine?
3. Di chi è questo?
4. Scusi, il prossimo treno per Perugia?
5. Per secondo, hai deciso?

a. L'Interregionale delle 11.
b. No, oggi niente primo.
c. Un attimo, signora, arrivo.
d. Una bistecca ben cotta.
e. È mio.

3. Completate.

1. Tre pasti: ....
2. Due aggettivi per descrivere un piatto: ....
3. Il plurale di *mia*: ....
4. Il futuro di *volere* (prima persona singolare): ....
5. Il plurale di *bel*: ....

4. Trovate le parole estranee.

1. È un dolce: *prosciutto mozzarella salame parmigiano panna cotta*
2. Non si mangia a colazione: *fette biscottate burro brioche risotto pane*
3. Non è un tipo di pasta: *tagliatelle tortellini maialino penne rigatoni*
4. Non è un verbo "da cucina": *affettare cuocere ordinare mescolare grattugiare*

Verificate le vostre risposte a pagina 191. Soddisfatti?

Maschio Angioino, Napoli

Al cinema

Per cominciare...

1 Andate spesso al cinema? Qual è stato l'ultimo film che avete visto e quando?

2 Quali di queste parole conoscete o capite?

protagonista	seguire
attrice	scoprire
appuntamento	verità
segreto	psicologo

3 In base alle illustrazioni della pagina accanto, provate a immaginare la trama del film, usando anche le parole del punto 2.

35

4 A libro chiuso ascoltate una o due volte il dialogo e verificate le vostre ipotesi. Poi completate le frasi con le informazioni che mancano (2-3 parole).

1. Il film era un ....
2. Un giorno Robert ha capito che Greta aveva ....
3. Quando tornava non aveva voglia ....
4. Robert ha seguito Greta per ....
5. Greta credeva di essere ....
6. Alla fine è ....

In questa unità...

1. ...impariamo a raccontare e descrivere, a parlare di ricordi, a esprimere accordo e disaccordo;
2. ...conosciamo l'imperfetto e il trapassato prossimo, le differenze tra l'imperfetto e il passato prossimo;
3. ...troviamo informazioni e curiosità sul cinema italiano di ieri e di oggi: film, attori e registi.

A Un film

1 Leggete e ascoltate il dialogo per confermare le vostre risposte all'esercizio precedente.

Giulia: Perché non sei venuto al cinema ieri? Era proprio un bel film!

Sergio: Ma sai che avevo tanto da studiare per il test di stamattina.

Giulia: Peccato, perché era un thriller psicologico di quelli che piacciono a te.

Sergio: Mannaggia! Dai, racconta un po'.

Giulia: Allora... Il protagonista, Robert, ha conosciuto Greta, un'attrice svizzera, molto bella. All'inizio tutto andava bene, fino a quando un giorno ha capito che Greta aveva qualche segreto.

Sergio: Aveva un altro, eh?

Giulia: Aspetta! Ogni tanto spariva e quando tornava non aveva voglia di parlare.

Sergio: E lui non chiedeva spiegazioni?

Giulia: Certo, ma lei aveva sempre la scusa pronta: un appuntamento con il suo manager, un contratto e così via. Una sera, però, mentre guardavano la tv, è squillato il suo cellulare. Lei ha risposto ed è uscita in fretta. Ma Robert questa volta ha seguito Greta per scoprire la verità.

Sergio: E cos'ha scoperto? Un altro uomo, no?

Giulia: No! Semplicemente che andava da uno psicologo! Praticamente viveva una doppia vita: credeva di essere un'altra persona!

Sergio: Ho capito. E com'è finita la storia?

Giulia: Lei con l'aiuto di Robert sembrava stare bene e hanno addirittura deciso di sposarsi. Ma proprio un giorno prima del matrimonio, lei è sparita di nuovo!

2 **Leggete.**

Lavorate in coppia. Assumete i ruoli di Giulia e Sergio e leggete il dialogo.

3 **Rispondete alle domande.**

1. Perché Sergio non è andato al cinema?
2. Che cosa faceva di strano Greta?
3. Perché Greta si comportava così?
4. Cos'è successo alla fine?

4 **Completate il dialogo che segue con i verbi dati.**

Sergio: Scusa, ma mentre parlavi, ero distratto, pensavo al test. Perché Rita ....*spariva*.... così spesso?
Giulia: Ma quale Rita, Greta! Perché diceva che .... incontrare il suo manager, girare delle scene ecc. Un giorno, però, mentre lei e Robert .... la tv, ... il telefonino di Greta che .... con la solita scusa.
Sergio: Ah, sì, sì... E perché si comportava così?
Giulia: Ma allora non mi hai ascoltato per niente! Robert ha seguito Greta e ha scoperto che .... da uno psicologo perché aveva dei problemi.
Sergio: Ho capito... E che problemi ....?
Giulia: .... di essere un'altra persona. In realtà .... una doppia vita.
Sergio: Mmh... ora ricordo tutto... Ma... com'è finito il film?
Giulia: Uffa! Senti, la prossima volta, per favore, vieni al cinema!

~~è suonato~~ played
~~guardavano~~ watch
~~doveva~~ where
~~è uscita~~ gone out
~~credeva~~ believed
~~andava~~ it went
~~viveva~~ Life
spariva
aveva it had

5 **Riassumete in breve la trama del film *(40-50 parole)*.**

....
....
....
....
....
....

6 Completate la tabella.

Imperfetto

	parlare		leggere		dormire	
	....		legg**evo**		dorm**ivo**	
	parl**avi**		legg**evi**	è	dorm**ivi**	ha
Mentre	parl**ava**	guardavo	....	arrivata	dorm**iva**	telefonato
	parl**avamo**	la tv	legg**evamo**	Laura	dorm**ivamo**	Paolo
	parl**avate**		legg**evate**		....	
	parl**avano**		legg**evano**		dorm**ivano**	

7 Osservate la tabella e costruite delle frasi secondo il modello.

Mentre *(io-mangiare)*, *(io-leggere)* il giornale. ➪ *Mentre mangiavo, leggevo il giornale.*

1. Ogni volta che *(loro-venire)* da noi *(loro-portare)* dei cioccolatini.
2. Quando mia madre *(preparare)* da mangiare, *(io-guardare)* la tv.
3. Mentre Monica *(pulire)* la casa, sono arrivati gli ospiti!
4. Ogni estate *(io-andare)* al mare con i miei suoceri.
5. Dove *(tu-andare)* ieri mattina alle 11?
6. Quando *(parlare)* lui, tutti *(rimanere)* a bocca aperta.

8 A coppie completate la tabella.

Imperfetto irregolare

essere	bere	dire	fare
ero	bevevo	dicevo	facevo
eri	bevevi	....	facevi
....	beveva	diceva	....
eravamo	bevevamo	dicevamo	facevamo
eravate	bevevate	dicevate	facevate
erano	bevevano	dicevano	facevano

Inoltre: *porre - ponevo, tradurre - traducevo.*

4 - 6

B Ricordi che risate?

1 **Leggete il dialogo.**

- Sai, spesso ripenso alle nostre vacanze in Sicilia.
- Sai che ci penso spesso anch'io? Ricordi che risate?
- Come no?! E poi, quei ragazzi che abbiamo conosciuto... come si chiamavano?
- Non mi ricordo proprio...
- Dai!! Non ricordi quello alto, con gli occhiali... come si chiamava?
- Ah, sì... Pietro, no?
- Già, Pietro. Che tipo! Forte!
- Sì, ti ricordi quando ha nascosto la tua borsa mentre facevi il bagno?
- E quando noi abbiamo nascosto il suo costume da bagno? Che ridere!

Role-play

2 ▷ **Sei *A*: usando anche le espressioni viste nel dialogo precedente, racconta a *B*:**

- *di una persona o di un evento importante che ricordi*
- *di una situazione strana che hai vissuto*
- *di un importante film che hai visto anni fa*
- *delle tue vacanze più belle*
- *di uno scherzo che hai fatto a qualche amico*

▷ **Sei *B*: rispondi alle domande di *A*.**

Parlare di ricordi

Ricordo che...	*Mi ricordo quella volta che...*
Ti ricordi quando...?	*Non dimenticherò mai...*

3 **Secondo voi, quando usiamo l'imperfetto e quando il passato prossimo? Osservate.**

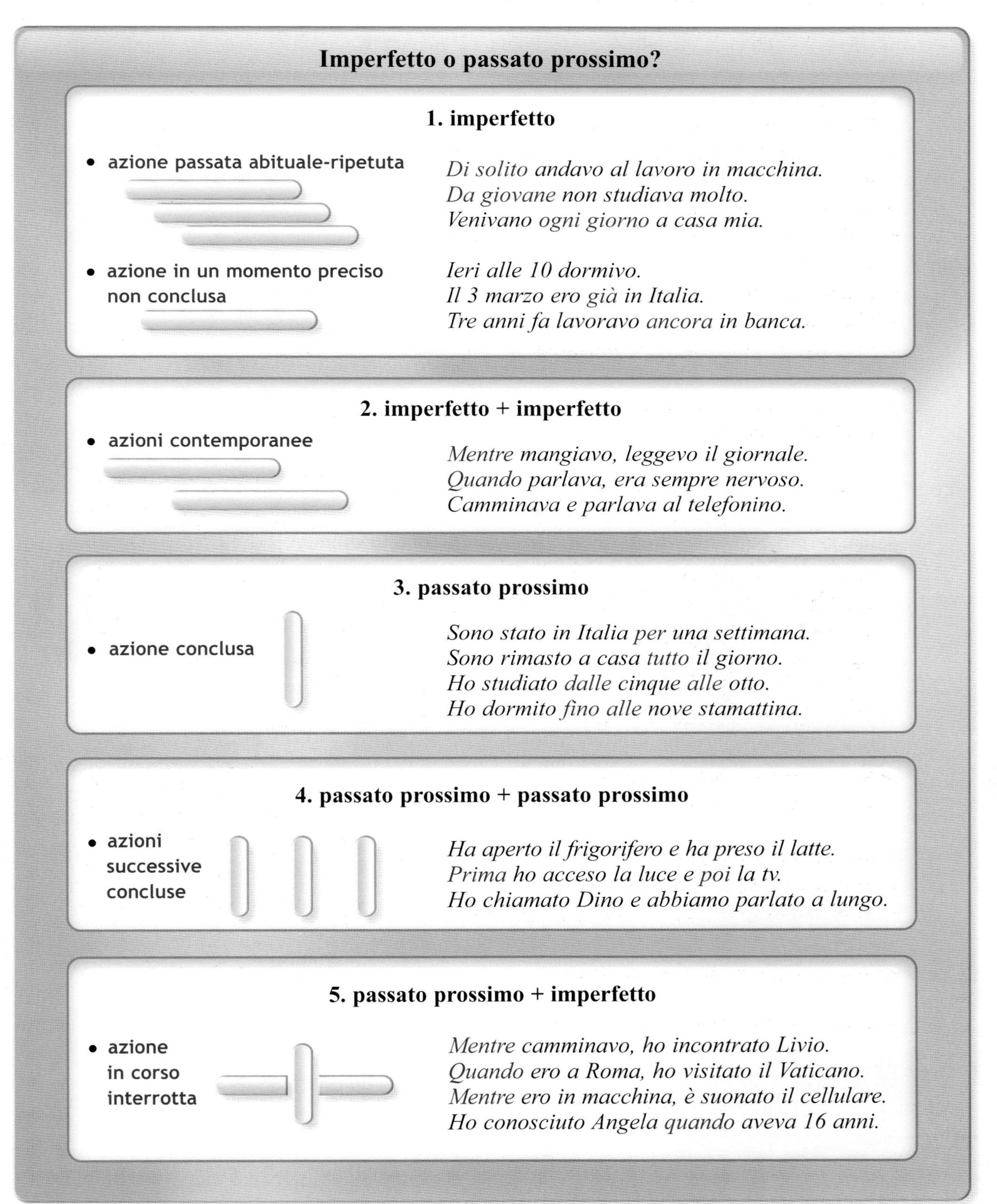

Imperfetto o passato prossimo?

1. imperfetto

- azione passata abituale-ripetuta

Di solito andavo al lavoro in macchina.
Da giovane non studiava molto.
Venivano ogni giorno a casa mia.

- azione in un momento preciso non conclusa

Ieri alle 10 dormivo.
Il 3 marzo ero già in Italia.
Tre anni fa lavoravo ancora in banca.

2. imperfetto + imperfetto

- azioni contemporanee

Mentre mangiavo, leggevo il giornale.
Quando parlava, era sempre nervoso.
Camminava e parlava al telefonino.

3. passato prossimo

- azione conclusa

Sono stato in Italia per una settimana.
Sono rimasto a casa tutto il giorno.
Ho studiato dalle cinque alle otto.
Ho dormito fino alle nove stamattina.

4. passato prossimo + passato prossimo

- azioni successive concluse

Ha aperto il frigorifero e ha preso il latte.
Prima ho acceso la luce e poi la tv.
Ho chiamato Dino e abbiamo parlato a lungo.

5. passato prossimo + imperfetto

- azione in corso interrotta

Mentre camminavo, ho incontrato Livio.
Quando ero a Roma, ho visitato il Vaticano.
Mentre ero in macchina, è suonato il cellulare.
Ho conosciuto Angela quando aveva 16 anni.

4 **Osservando la tabella precedente costruite delle frasi secondo il modello.**

(io-essere) a casa quando *(venire)* Paola. ➪ *Ero a casa quando è venuta Paola.*

1. Mentre *(lei-ascoltare)* la musica, *(studiare)* l'italiano.
2. Ieri sera alle 8 Gianna e Francesca *(essere)* a casa.
3. Mentre *(io-aspettare)* l'autobus, *(vedere)* un vecchio amico.
4. Quando *(noi-andare)* da loro *(portare)* sempre qualcosa alla loro figlia.
5. Quando *(telefonare)* Luca *(io-dormire)* ancora.
6. Ieri sera Sofia *(lavorare)* fino a mezzanotte!

7 - 13

5 **Raccontare e descrivere. Leggete il primo testo e poi completate il secondo con l'imperfetto e il passato prossimo.**

- Come hai conosciuto Gennaro?
- Allora... era una sera di giugno. Erano le 7 ed io aspettavo due amiche fuori dal cinema. Mentre stavo lì, ho notato un ragazzo che aspettava anche lui: Gennaro. Era bellissimo. Aveva i capelli corti, portava i jeans e una maglietta celeste ed era seduto su una *Vespa*. Sembrava nervoso e guardava in continuazione l'orologio e poi me. Le mie amiche erano in ritardo e lo stesso la sua compagnia. Ho capito che lui mi voleva parlare, ma era un po' timido. Alla fine, siamo entrati nel cinema e da allora... stiamo insieme.

"*Era* un mattino di marzo. All'inizio *(fare)* .... bel tempo. I bambini *(essere)* .... molto felici di visitare Pisa. Dopo un po', però, *(cominciare)* .... a piovere. La pioggia *(andare)* .... avanti per altre due ore. Quando *(arrivare)* .... a Pisa *(piovere)* .... ancora. Non *(esserci)* .... molta gente in giro, ma anche così deserta la città *(sembrare)* .... molto bella. *(essere)* .... tutti impazienti perché volevamo salire sulla Torre pendente."

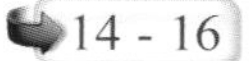
14 - 16

6 **Osservate le vignette che seguono e raccontate, usando l'imperfetto e il passato prossimo, che cosa ha fatto ieri Alessandro. Se volete, scrivete il vostro racconto *(60 parole)*: vediamo chi penserà alla storiella più originale!**

7 **Nell'ultima riga del testo precedente leggiamo:** "...perché volevamo salire sulla Torre pendente". **Alla fine sono saliti sulla Torre o no? Osservate:**

dovere, *potere* e *volere* all'imperfetto

Sono uscito presto perché **dovevo** incontrare un amico.
Dopo una settimana di duro lavoro **potevamo** finalmente fare una gita.
Per qualche motivo Paolo non **voleva** invitare Patrizia.

Quando usiamo l'imperfetto esprimiamo incertezza, il risultato dell'azione non è chiaro.

Sono uscito presto perché **ho dovuto** incontrare un amico.
(quindi ho incontrato l'amico)
Dopo una settimana di duro lavoro **abbiamo potuto** finalmente fare una gita.
(quindi abbiamo fatto la gita)
Per qualche motivo Paolo non **ha voluto** invitare Patrizia.
(quindi non ha invitato Patrizia)

Quando usiamo il passato prossimo non è necessario dare altre spiegazioni: è già chiaro che cos'è successo.

8 **Completate le frasi con l'imperfetto o il passato prossimo.**

1. *(noi-volere)* trovare i tuoi dolci preferiti così abbiamo fatto tardi.
2. Luigi non *(potere)* stare fino a tardi e *(partire)* subito.
3. Gianna *(dovere)* viaggiare con questo brutto tempo.
4. Loredana *(volere)* cambiare macchina ed ha comprato una *Lancia*.
5. Giacomo e Beatrice *(dovere)* partire all'improvviso.

17 - 19

C Avevamo deciso di andare al cinema...

1 Ascoltate il dialogo. Alla fine i ragazzi vanno: ☐ a mangiare ☐ a teatro ☐ al cinema.

2 Ascoltate di nuovo e indicate se le frasi che seguono sono veramente presenti.

☐ avevamo deciso di andare al cinema
☐ che Laura non aveva ancora visto
☐ era andato a vedere il film qualche giorno prima
☐ il parere di qualcuno che conoscevamo bene
☐ alla fine cosa avete fatto?
☐ era tardi per lo spettacolo delle 10.30
☐ aveva detto che non era bello
☐ dovevamo discutere per mezz'ora
☐ abbiamo deciso di tornare a casa
☐ un posto dove non era mai stata

3 Rispondete alle domande.

1. Perché i ragazzi non hanno visto il film di Tornatore?
2. Perché non hanno visto nemmeno il film di Pieraccioni? Cosa sapevano di questo film?
3. Dove voleva andare a mangiare Laura?

4 Osservate la tabella sulla formazione e l'uso del trapassato prossimo.

Il trapassato prossimo

Quando sei arrivato	**avevo / avevi / aveva avevamo / avevate / avevano**	**mangiato**.	
L'anno prima	**ero / eri / era eravamo / eravate / erano**	**stato/a stati/e**	in Italia.

Uso del trapassato prossimo

trapassato prossimo	passato prossimo	imperfetto
a) **Erano già partiti**	quando siamo arrivati noi.	
b) **Avevo dormito poco**		e quindi ero stanco.
1ª azione passata	2ª azione passata	

Usiamo il trapassato prossimo per un'azione passata che avviene prima di un'altra azione passata. Per quest'ultima usiamo il passato prossimo o l'imperfetto.

5 **Rispondete oralmente usando il trapassato prossimo secondo l'esempio.**

Perché hai mangiato così tanto a pranzo? *(non fare colazione)*
➪ *Ho mangiato tanto perché non avevo fatto colazione.*

1. Perché hai dovuto studiare tutta la notte? *(non studiare affatto fino a ieri)*
2. Avete incontrato le ragazze? *(sì, per fortuna non partire ancora)*
3. Cosa ha preparato Franca per cena? *(qualcosa che non cucinare prima)*
4. Hai fatto in tempo a vedere il film che ti piaceva? *(no, già cominciare)*
5. Come mai alla festa di Johan non hai bevuto niente? *(bere molto la sera prima)*
6. Perché non potevi entrare? *(dimenticare le mie chiavi in ufficio)*

20 - 23

D Sei d'accordo?

37 **1** **Ascoltate e abbinate i dialoghi alle immagini.**

1.
- Cosa pensi di Nanni Moretti?
- Secondo me, è un ottimo regista. *Caro diario* mi è piaciuto molto!
- **Sono d'accordo** con te! Tant'è vero che ha vinto il premio per la migliore regia al Festival di Cannes.

2.
- Ti piacciono tutti i film di Fellini?
- Sì, sono geniali. Ma per me il migliore è *Amarcord.*
- Mah, **non sono d'accordo**! Preferisco *La dolce vita*!

3.
- Bello il film, ma sicuramente non è il migliore di Benigni.
- **Hai ragione**: *La vita è bella* mi era piaciuto di più.

4.
- Rosaria dice che Sofia Loren ha vinto un Oscar come migliore attrice.
- **È proprio vero**! Per *La Ciociara* se non sbaglio. Che bel film!
- Sì, **lo penso anch'io**.

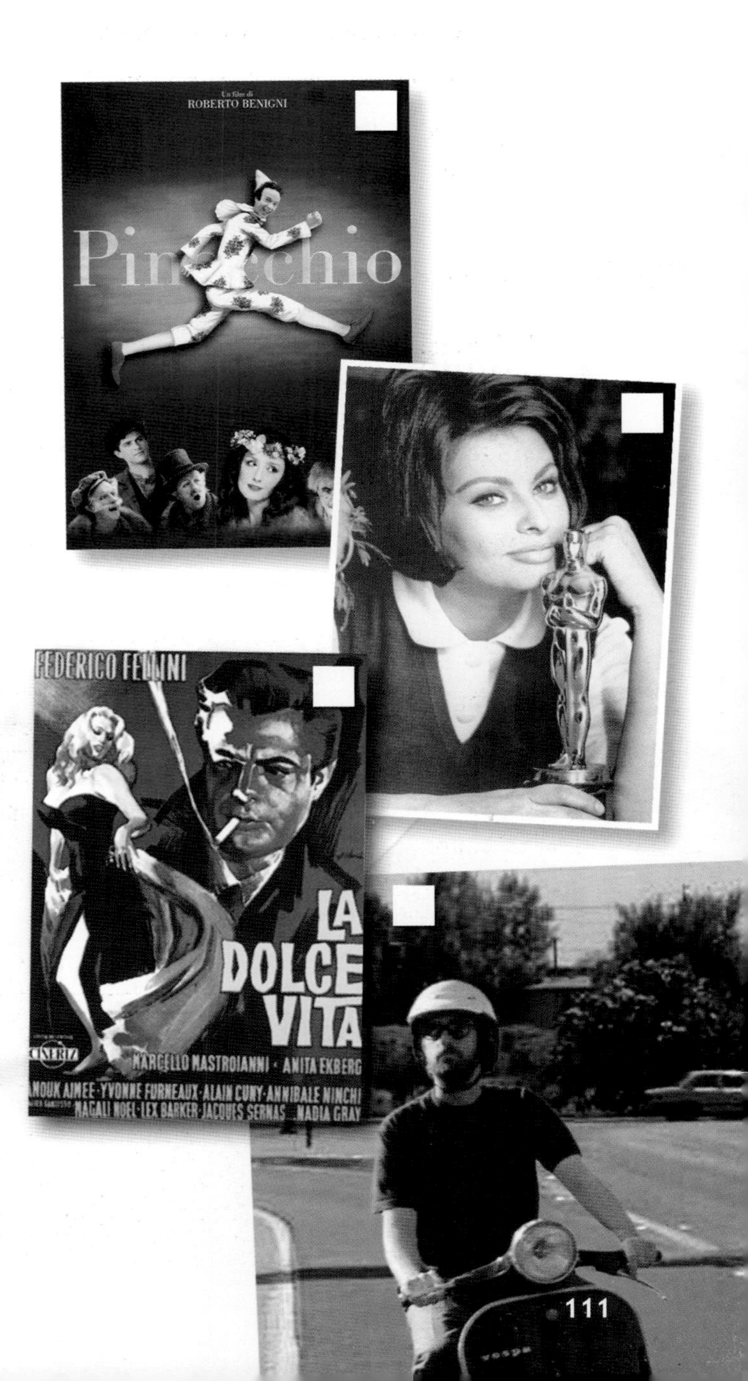

2 Role-play

▷ Sei *A* e parli con *B*. Esprimi e giustifichi il tuo parere su:

- *un film che ti è piaciuto molto*
- *il tuo attore o la tua attrice preferito/a*
- *un regista che stimi*
- *il genere di film che preferisci (gialli, commedie, di fantascienza, di avventura ecc.)*
- *qualche film o qualche personaggio del cinema italiano*

▷ Sei *B* e ascolti le preferenze di *A*: esprimi e motiva il tuo accordo o disaccordo.

Esprimere accordo	Esprimere disaccordo
Sono d'accordo (con te)!	*Non sono d'accordo (con quel che dici)!*
Sì, è proprio vero/così!	*Non credo.*
Sì, credo anch'io (lo stesso).	*No, non penso.*
Sì, lo penso anch'io.	*No, penso di no.*
Sì, è vero! / Hai ragione!	*Non è vero!*

Attenzione: *Nicola è d'accord**o**. Veronica è d'accord**o**. Noi siamo d'accord**o**.*

E Abilità

38 **1 Ascolto** Quaderno degli esercizi

2 Parliamo

1. Andate spesso al cinema? Se non ci andate spesso, qual è il motivo?
2. Come scegliete i film da vedere? In base al parere degli amici, alle critiche della stampa, alla pubblicità?
3. Qual è il vostro film preferito e perché? Cercate di raccontare in breve la sua trama.
4. Secondo voi, è lo stesso vedere un film al cinema e alla tv? Spiegate.
5. Avete visto qualche film italiano? Qual era la trama? Cos'altro ricordate?

3 Scriviamo

Scrivi a un amico italiano per raccontare un film che hai appena visto e che ti è piaciuto tantissimo. Parla degli attori protagonisti, della loro interpretazione e della regia. *(80-100 parole)*

Test finale

Diego Abatantuono (a sinistra) in una scena tratta da *Mediterraneo*.

Il cinema italiano moderno

Nel bellissimo e autobiografico* *Nuovo Cinema Paradiso* il regista **Giuseppe Tornatore** racconta la storia di un cinema in un piccolo paese della Sicilia degli anni '50. Molto apprezzato* anche il suo film *La leggenda del pianista sull'oceano*.

Gabriele Salvatores ha vinto nel 1992 il premio Oscar per il miglior film straniero con *Mediterraneo*. Altro suo film importante *Io non ho paura*.

Massimo Troisi (a sinistra) e Filippe Noiret in *Il postino*.

Nanni Moretti è regista e attore. È diventato famoso anche all'estero grazie a *Caro Diario*, una parodia dell'Italia moderna raccontata attraverso la vita del protagonista, interpretato dallo stesso Moretti. Altri film noti *La stanza del figlio*, *Aprile* e *Il Caimano*.

Nel bellissimo *Il postino* **Massimo Troisi** cerca di conquistare* l'affascinante Maria Grazia Cucinotta con l'aiuto del poeta cileno Pablo Neruda. Un film che ha avuto successo in tutto il mondo.

Molto apprezzati anche i registi **Gianni Amelio** *(Lamerica, Il ladro di bambini)*, **Carlo Verdone** (*Il mio miglior nemico*) e **Leonardo Pieraccioni** (*Il ciclone*). Il trio **Aldo, Giovanni e Giacomo** realizzano commedie di grande successo.

Il premio Oscar **Roberto Benigni** rappresenta un caso del tutto particolare: non è solo un comico fenomenale (e grande showman televisivo), ma anche regista dei suoi film che, di solito, battono i record d'incasso*. Tra questi ricordiamo *Johnny Stecchino*, *Il mostro*, *La vita è bella*, *Pinocchio*, *La tigre e la neve*.

Una scena dal film *La vita è bella*, che ha regalato a Roberto Benigni tre Oscar (miglior film straniero, miglior attore protagonista e colonna sonora) e un successo mondiale.

Grazie alla sua straordinaria bellezza e al suo talento, Monica Bellucci sta facendo una grande carriera internazionale.

Attività online

Glossario: autobiografico: che racconta la propria vita; apprezzato: che piace; conquistare: far innamorare qualcuno di sé; incasso: somma che proviene dalle vendite.

Il grande cinema italiano

Marcello Mastroianni in *La notte* di Michelangelo Antonioni.

Sofia Loren in *La ciociara*.

Il grande Totò in *Un turco napoletano*.

I grandi interpreti del passato

Marcello Mastroianni: uno dei volti italiani più noti nel mondo, ha girato più di 150 film. Tra questi ricordiamo: *I soliti ignoti* di Monicelli, *Divorzio all'italiana* di Germi, *La dolce vita*, *Otto e mezzo* e tanti altri girati con Fellini. Il "bel Marcello", tre volte candidato all'Oscar come miglior attore protagonista, è morto nel 1996.

Sofia Loren: napoletana, simbolo della bellezza mediterranea. È stata la prima attrice a vincere il premio Oscar per un film non americano, nel 1961, con *La Ciociara* di De Sica. Ha recitato in importanti film internazionali, mentre indimenticabili sono le commedie insieme a Mastroianni: *Ieri, oggi e domani*, *Matrimonio all'italiana* (entrambi di De Sica) ecc. Nel 1990 ha vinto l'Oscar alla carriera.

Alberto Sordi: romano, un comico molto amato dagli italiani, ha recitato anche in film americani.

Vittorio Gassman: bellissimo e bravissimo attore di teatro e di cinema. Ha preso parte anche a film internazionali.

Totò: napoletano, il più straordinario dei comici italiani, giocava con le parole in modo ironico.

Altri attori molto famosi a livello internazionale: Anna Magnani (premio Oscar nel 1955), Claudia Cardinale, Gina Lollobrigida, Nino Manfredi, Ornella Muti, Ugo Tognazzi, Giancarlo Giannini e tanti altri.

Vittorio Gassman (a sinistra) e Alberto Sordi (a destra) nel film *La grande guerra* di Mario Monicelli.

I grandi registi

Federico Fellini: tra i più ammirati registi del mondo. Ha vinto quattro Oscar per il miglior film straniero e un Oscar alla carriera nel 1992. Fellini, che è scomparso nel 1993, è considerato un genio*, un poeta del grande schermo*. Ha collaborato spesso, nei suoi capolavori*, con Marcello Mastroianni.

Vittorio De Sica: uno dei grandi del cinema italiano e mondiale. Quattro dei suoi film hanno vinto un Oscar. Lui stesso era un bravissimo attore e ha recitato anche in film stranieri.

Luchino Visconti: *Il Gattopardo*, *Rocco e i suoi fratelli* ecc.

Michelangelo Antonioni: *La notte*, *Blowup* ecc.; nel 1994 ha vinto l'Oscar alla carriera.

Sergio Leone: ha girato molti dei cosiddetti "spaghetti western" (*Per un pugno di dollari*, *Il buono, il brutto e il cattivo* ecc.) accompagnati dalle colonne sonore di un grande compositore: Ennio Morricone.

Bernardo Bertolucci: ha girato film di grande successo mondiale: *Ultimo tango a Parigi*, *L'ultimo imperatore* (che ha vinto 9 Oscar, compreso quello per la regia), *Il tè nel deserto*, *Il piccolo Buddha* ecc.

Il neorealismo

Uno dei periodi più gloriosi* del cinema italiano. Si chiama così perché i registi di quel periodo hanno cercato di dare un'immagine vera dell'Italia dopo la seconda guerra mondiale. Tra i film più importanti ricordiamo *Roma città aperta* (1944 con Anna Magnani) girato da Roberto Rossellini in una Roma ancora occupata* dai nazisti e i bellissimi *Sciuscià* (1946) e *Ladri di biciclette* (1948) di Vittorio De Sica (entrambi hanno vinto l'Oscar per il miglior film straniero).

Una scena da un film simbolo del neorealismo, *Ladri di biciclette*.

Lavorate in coppia. In base a quanto avete letto in queste pagine di *Conosciamo l'Italia*, rispondete alle domande.

1. Cosa hanno in comune De Sica, Benigni e Moretti?
2. Che cosa hanno in comune Anna Magnani e Sofia Loren?
3. Cosa hanno in comune Vittorio Gassman, Alberto Sordi e Monica Bellucci?
4. Citate almeno due film di Vittorio De Sica.
5. Quali registi italiani hanno ottenuto successi internazionali?
6. Il neorealismo racconta l'Italia degli anni '40 o '60?

Glossario: genio: di talento e intelligenza eccezionali; grande schermo: il cinema; capolavoro: l'opera migliore di un artista; glorioso: famoso, celebre, di successo; occupata: sotto il controllo.

Autovalutazione

Che cosa avete imparato nelle unità 6 e 7?

1. Sapete...? Abbinate le due colonne.

1. raccontare
2. ordinare al ristorante
3. esprimere accordo
4. esprimere disaccordo
5. parlare di ricordi

a. *Hai ragione, è proprio così!*
b. *Sì, mi ricordo, c'era anche Gianna quella sera.*
c. *Era tutto tranquillo, quando all'improvviso è scoppiato un temporale.*
d. *Cosa avete di buono oggi?*
e. *Non è vero.*

2. Abbinate le frasi. Nella colonna a destra c'è una frase in più.

1. Mentre attraversavo la strada
2. Cosa danno all'*Ariston*?
3. È un'attrice di grande talento!
4. Perché non prendi le lasagne?
5. I tuoi come stanno?

a. Bene, grazie!
b. Il nuovo film di Moretti.
c. mi ha investito una bicicletta.
d. Hai ragione.
e. No, non mi piacciono.
f. era passata una bicicletta.

3. Completate.

1. Tre registi italiani: ....
2. Tre attori/attrici italiani/e del passato: ....
3. Il singolare di *miei*: ....
4. L'imperfetto di *fare* (seconda persona plurale): ....
5. Il trapassato prossimo di *arrivare* (prima persona singolare): ....

4. Scoprite le otto parole nascoste. Cercate in orizzontale e in verticale.

P	O	R	E	C	I	T	A	R	E
A	T	U	T	R	V	U	T	E	S
T	R	O	P	O	D	X	T	Y	Z
A	C	L	P	E	N	T	O	L	A
S	C	O	M	I	C	O	R	E	F
S	A	L	A	T	O	N	E	M	I
G	R	E	G	I	S	T	A	F	L
A	P	T	Y	D	O	M	E	N	M

Piazza e Basilica San Marco,
Venezia

Verificate le vostre risposte a pagina 191.
Siete soddisfatti?

Fare la spesa

Per cominciare...

1 **Abbinate le parole alle immagini.**

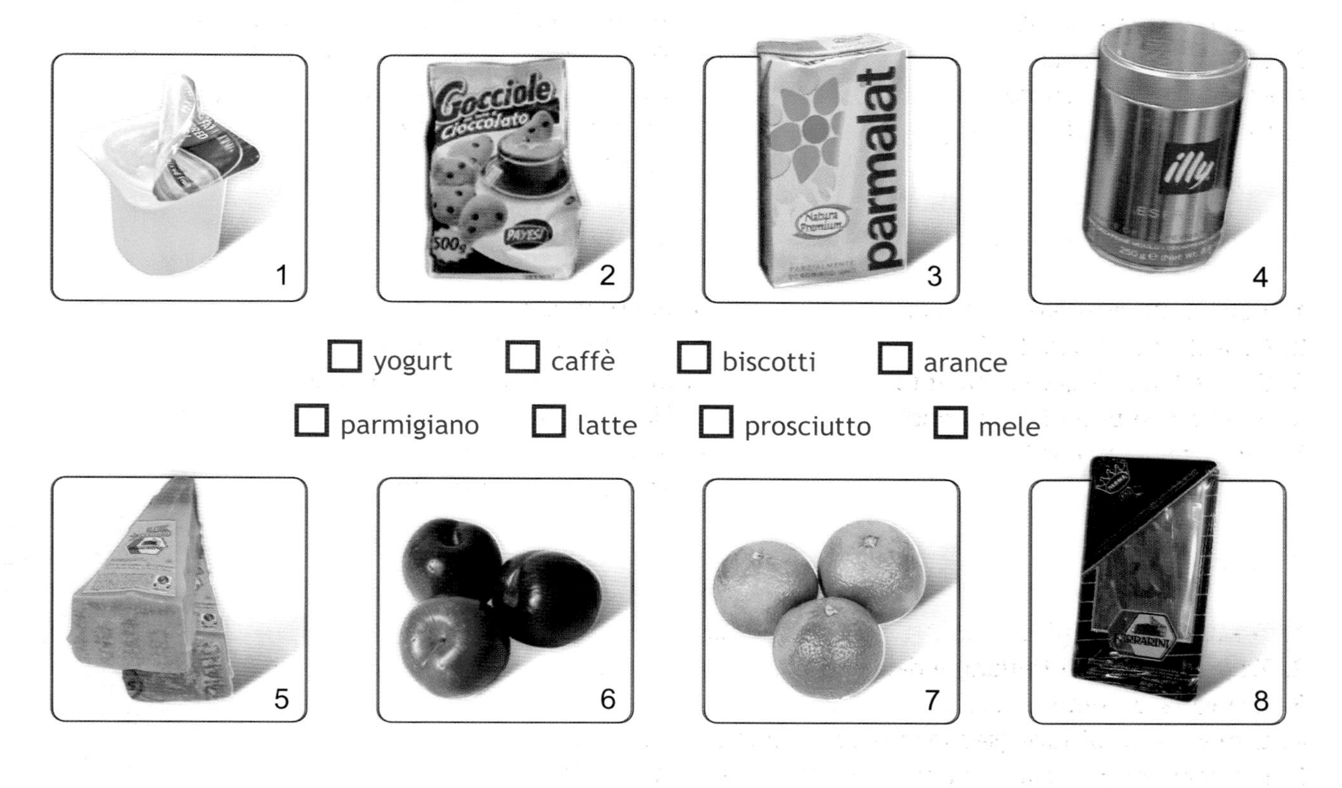

☐ yogurt ☐ caffè ☐ biscotti ☐ arance

☐ parmigiano ☐ latte ☐ prosciutto ☐ mele

(39) 2 **Ascoltate la registrazione. Di quali di questi otto prodotti parlano le due ragazze?**

(39) 3 **Ascoltate nuovamente il dialogo e indicate le 4 affermazioni corrette.**

☐ 1. Sergio, il fidanzato di una delle due ragazze, beve parecchi caffè al giorno.
☐ 2. Le due ragazze di solito comprano la stessa marca di caffè.
☐ 3. Sergio non ama molto i biscotti.
☐ 4. Ilaria convince Donatella a comprare gli stessi biscotti.
☐ 5. Sergio preferisce le mele rosse a quelle verdi.
☐ 6. Il *Grana Padano* costa meno del *Parmigiano Reggiano*.

In questa unità...

1. ...impariamo a esprimere gioia, rammarico o disappunto; a offrire, accettare e rifiutare collaborazione o aiuto; a fare la spesa al supermercato o in un negozio di alimentari; a parlare di quantità;
2. ...conosciamo i pronomi diretti, il pronome partitivo ne *e le forme* ce l'ho, ce n'è;
3. ...incontriamo informazioni su alcuni negozi e prodotti tipici italiani.

A Per me due etti di Parmigiano.

1 Leggete e ascoltate il dialogo. Confermate le vostre risposte all'esercizio della pagina precedente.

Ilaria: Non segni mai le cose che devi comprare?

Donatella: No, perché? ...Le ricordo. Ecco il caffè! Lo prendi anche tu?

Ilaria: Per forza! Sergio ne beve tre-quattro al giorno.

Donatella: Io compro *Lavazza qualità oro*...

Ilaria: Io, invece, prendo *Illy*: Sergio lo preferisce alle altre marche. Perché non lo provi?

Donatella: Va be', lo proverò... Dunque... i biscotti...

Ilaria: Io compro sempre questi del *Mulino Bianco*: a Sergio piacciono tanto! E poi questa confezione è anche economica.

Donatella: Ok, mi hai convinta, li provo anch'io. Ah, ecco le mele che volevi comprare.

Ilaria: Però Sergio le mele verdi non le mangia, le vuole rosse. Non importa, compro delle banane.

Donatella: Volevi anche il formaggio, vero?

Ilaria: Sì, prendo due etti di *Parmigiano Reggiano*.

Donatella: Io, in genere, prendo il *Grana Padano*: costa di meno ed è buono lo stesso.

Ilaria: Lo so che costa di meno, ma Sergio mangia solo il meglio.

Donatella: Certo che lo tratti bene il tuo Sergio, eh???

2 **Leggete.**

Assumete i ruoli di Ilaria e Donatella e leggete il dialogo.

3 **Rispondete alle domande.**

1. Perché Ilaria non compra il caffè *Lavazza*?
2. Perché Ilaria compra i biscotti del *Mulino Bianco*?
3. Che frutta compra Ilaria e perché?
4. Quale e quanto formaggio comprano le due amiche?

4 **Riflettete.**

Nel dialogo, nella prima frase di Donatella ci sono i pronomi diretti "le" e "lo". Quali parole sostituiscono? Potete individuare altri pronomi?

5 **Donatella torna dal supermercato e parla con Giorgia. Completate il loro dialogo con i pronomi dati.**

*le lo **Mi** li lo li le li le lo*

Giorgia:	Come mai hai comprato *Illy* invece di *Lavazza*?
Donatella:	...*Mi*... ha convinta Ilaria: lei .... compra perché Sergio, il suo fidanzato, ... preferisce alle altre marche. Così ho pensato di provarlo.
Giorgia:	Infatti, è molto buono. Hai comprato i biscotti?
Donatella:	Sì, questi del *Mulino Bianco*. Sai, Sergio .... mangia molto volentieri. Tu .... mangi, vero?
Giorgia:	Sì, ... mangio. Certo, preferisco quelli che compravi prima, ma insomma...
Donatella:	Senti, non ho comprato le mele. Ho comprato mezzo chilo di banane, invece.
Giorgia:	Le mele? Non c'erano le mele?
Donatella:	C'erano, però solo quelle verdi e non rosse. Tu .... mangi le mele verdi?
Giorgia:	Certo che .... mangio! Anzi, ... preferisco a quelle rosse.
Donatella:	Non .... sapevo... Ho comprato anche due etti di *Parmigiano Reggiano*.
Giorgia:	Come mai? Tu prendevi sempre il *Grana Padano*.
Donatella:	Sì, però dobbiamo mangiare solo il meglio... come fanno Ilaria e Sergio!!!

6 **Scrivete nel vostro quaderno un breve (*40-50 parole*) riassunto del dialogo introduttivo.**

7 **Osservate:**

-Perché compri questa marca di caffè? -Perché **lo** preferisco agli altri.
-Ti piacciono queste banane? -No, **le** trovo troppo mature.
-Conosci Giorgia, l'amica di Donatella? -Sì, **la** conosco bene.

Pronomi diretti (oggetto)

mi	salutano sempre	=	*(salutano me)*
ti	ascolto con attenzione	=	*(ascolto te)*
lo	troviamo molto bello	=	*(troviamo lui)*
la	incontro ogni giorno	=	*(incontro lei)*
La	ringrazio vivamente	=	*(ringrazio Lei)*
ci	conosce bene	=	*(conosce noi)*
vi	prego di non fumare	=	*(prego voi)*
li	chiamo spesso	=	*(chiamo loro)*
le	vedo per strada	=	*(vedo loro)*

8 **Osservando la tabella di sopra rispondete alle domande secondo il modello.**

Chi accompagna Flavia a casa? *(un amico)* ➪ *La accompagna un amico.*

1. Chi fa la spesa oggi? *(io)*
2. Quando incontri le tue amiche? *(oggi)*
3. Chi vi accompagna a casa? *(alcuni amici)*
4. Conosci anche tu Dario? *(sì)*
5. Pronto, mi senti? *(male)*

1 - 4

9 **Osservate queste frasi:**

Io compro il Grana Padano perché costa di meno.
Lo so che costa di meno.
Io le mele rosse non le mangio volentieri.
Ah, non *lo sapevo*.

Adesso, in coppia cercate di completare le risposte con *lo so, lo sapevo, lo saprò*.

1. Sai *quanto costa un litro di latte*? No, non ....
2. Sapevi *che Luca aveva un figlio*? Sì, ...
3. Sai *che Lidia ha trovato lavoro*? Sì, ...
4. Quando saprai *se verrai con noi*? .... stasera.
5. Lo sapevi *che Giacomo ha 28 anni*? No, non ....

5

B Che bello!

1 **Ascoltate e abbinate le frasi ai disegni.** (40)

2 **Leggete le frasi. In quali casi la persona che parla è contenta e in quali no?**

a. Che peccato! Stasera devo studiare e non posso venire con voi.

b. Che rabbia! Beppe ha preso il mio motorino due ore fa e non è ancora tornato!

c. Che giornata stupenda! Era da una settimana che pioveva continuamente...

d. Che bello! Finalmente sono finiti gli esami!

e. Accidenti! Ho dimenticato le chiavi in ufficio!

f. - Hai sentito? Jovanotti darà due concerti a maggio.
- Che bella notizia! Lo sai che non sono mai stata ad un suo concerto?

Esprimere gioia	Esprimere rammarico, disappunto
Che bello!	*Peccato!*
Che bella idea!	*Che peccato!*
Che bella giornata!	*Mannaggia!*
Che bella sorpresa!	*Accidenti!*
Che bella notizia!	*Che brutta notizia!*
Che fortuna!	*Che rabbia!*

3 **Completate le frasi con le espressioni appena viste.**

- ....! È finito il caffè! Beh, farò colazione al bar!

- Hai saputo? La Roma ha vinto!
- ....! Era da un mese che non vinceva!

- Stefano, questo è un piccolo regalo per te!
- ....! Siete stati molto carini!

- Senti, Mauro, stasera purtroppo non ti posso accompagnare alla festa.
- ....! Magari un'altra volta!

- Hai sentito? Ci sarà lo sciopero proprio durante gli esami!
- ....! E pensare che questa volta avevo studiato sul serio!

- Sai che penso? Quasi quasi quest'anno facciamo le vacanze in Sardegna.
- ....! Non ci sono mai stata.

Role-play

4 ▷ **Sei *A*: annuncia a *B* che:**

- *non puoi andare con lui/lei al cinema*
- *un vostro amico ha vinto al totocalcio*
- *hai comprato due biglietti per lo spettacolo che vuole andare a vedere*
- *hai perso un suo libro*
- *pensi di invitare a cena tutti i compagni di classe*

▷ **Sei *B*: rispondi a quello che dice *A* con le espressioni che hai appena imparato.**

C Quanto ne vuole?

1 **Mettete in ordine il dialogo.**

1	Buongiorno signora, desidera?
	Due etti. Anzi, no, ne prendo tre.
	Desidera altro?
	No, oggi è sabato: ne prendo due.
	Sì, vorrei del latte fresco.
	Basta un litro?
	Buonissimo! Quanto ne vuole?
	Buongiorno. Vorrei del prosciutto crudo. È buono?

2

Il pronome partitivo *ne*

Quanti caffè bevi al giorno?	**Ne** bevo almeno due.
Vuole anche del pane, signora?	Sì, **ne** vorrei un chilo.
Hai bevuto molto vino ieri?	No, **ne** ho bevuto solo un bicchiere.
Conosci quelle ragazze?	No, non **ne** conosco nessuna.
Compri spesso riviste?	Sì, **ne** compro molte ogni mese.
Quanti amici italiani hai?	Ormai **ne** ho parecchi.

Attenzione: *Conosci quelle ragazze? Sì, **le** conosco **tutte**.*

3 **Osservate la tabella precedente e rispondete alle domande.**

1. Di pomodori quanti ne vuole, signora? *(un chilo)*
2. Queste magliette sono in offerta. Io ne prendo un paio. Tu? *(tre)*
3. Compri l'acqua minerale? *(sì, una dozzina di bottiglie)*
4. Quanti esercizi abbiamo per mercoledì? *(quattro)*
5. Compri tutti questi libri? *(no, solo uno)*

6 - 8

4 **Lavorate in coppia. Svolgete un dialogo simile a quello dell'attività C1 con l'aiuto di queste parole:** 1/2 chilo di pane, 3 bottiglie d'acqua, 2 etti di mortadella.

D Dove li hai comprati?

1 **Leggete il dialogo e rispondete alle domande.**

Marta: Che begli orecchini! Dove li hai comprati?
Giulia: Li ho comprati la settimana scorsa da *Bulgari*.
Marta: Sono bellissimi! Immagino che li avrai pagati molto.
Giulia: Beh... insomma! A me, invece, piacciono molto le tue scarpe.
Marta: Grazie! Sono nuove. Le ho comprate per il matrimonio di Alessia... Ma che c'è?
Giulia: Niente... È che Alessia e Fabrizio non mi hanno invitata al loro matrimonio, mentre io li avevo invitati al mio.
Marta: Non sei mica l'unica, sai! Ricordi Cristina, la cugina di Alessia? Non l'hanno invitata. E Dino? Non l'ho visto. Dei vecchi amici, ne ho visti pochissimi.
Giulia: È veramente un peccato. Secondo me, ad un matrimonio bisogna invitare tutti.

1. Dove ha comprato gli orecchini Giulia?
2. Per quale motivo Marta ha comprato delle scarpe nuove?
3. Perché ad un certo punto l'umore di Giulia cambia?
4. Chi altro non era presente al matrimonio?

2 **Leggete di nuovo il dialogo precedente e, in coppia, provate a completare la tabella.**

I pronomi diretti nei tempi composti

quel ragazzo	**l'**	ho	conosciut**o**	un anno fa
quella ragazza	**l'**	ho	vist.....	proprio ieri
quei ragazzi	**li**	ho	incontrat.....	la settimana scorsa
quelle ragazze	**le**	ho	invitat**e**	a casa mia

Attenzione: *Signor Pieri, L'ho chiamat**a** ieri sera.*

di amici veri	**ne**	ho	avut**o**	uno solo
di lettere non	**ne**	ho	ricevut**a**	nessuna
di film italiani	**ne**	ho	vist**i**	molti
di gite	**ne**	ho	fatt.....	tantissime

3 **Rispondete alle domande secondo il modello.**

Quando hai incontrato i tuoi amici? *(l'altro ieri)* ➪ *Li ho incontrati l'altro ieri.*

1. Quando hai visitato i Musei Vaticani? *(l'anno scorso)*
2. Avete già letto tutte queste riviste? *(no, solo alcune)*
3. Hai comprato il nuovo cd di Zucchero? *(sì, ieri)*
4. Avete conosciuto le amiche di Elena? *(sì, tutte)*
5. Hai letto qualche libro di Alberto Moravia? *(solo uno)*
6. Come mai non prendi il caffè? *(già tre oggi)*

9 - 12

4 **Lavorate in coppia. Completate il dialogo con la forma verbale giusta.**

Marcello: Dario, ho sentito che Rosaria andrà a vivere in Spagna! Tu 1. ....?
Dario: Sì, lo sapevo. 2. .... da sua sorella.
Marcello: Ma come mai ha preso una decisione del genere?
Dario: Andrà a vivere insieme a quel ragazzo spagnolo, Manuel.
Marcello: Ma allora la cosa è seria. Ma dove 3. .... questo Manuel?
Dario: 4. .... due o tre anni fa. Poi l'estate scorsa lui l'ha invitata a Tenerife e lì è cominciato tutto.
Marcello: Ma tu come fai a sapere tutte queste cose?
Dario: Sapevo da tempo che a Rosaria Manuel piaceva molto. Il resto 5. .... da Anna.
Marcello: Ti ha informato bene questa Anna!!!

1. lo sapevi/lo saprai, 2. L'ha saputa/L'ho saputo, 3. lo conosceva/l'ha conosciuto, 4. Lo conosce/Lo aveva conosciuto, 5. l'ho saputo/l'ho conosciuto

5 **Osservate e verificate le vostre risposte.**

Sapevi che andranno a vivere insieme?	No, non ***lo sapevo***.
Come hai saputo del matrimonio di Alessia?	***L'ho saputo*** da un'amica comune.
Conoscevi la sorella di Loredana?	Sì, ***la conoscevo*** già.
Dove l'hai conosciuta?	***L'ho conosciuta*** ad una festa.

13

E Ti posso aiutare?

41 **1** **Ascoltate i mini dialoghi e indicate se chi risponde accetta o rifiuta l'aiuto offerto.**

	accetta	non accetta
1.		
2.		
3.		
4.		
5.		
6.		

41 **2** **Ascoltate di nuovo e verificate le vostre risposte. Quali delle espressioni che seguono avete ascoltato?**

Offrire collaborazione/aiuto

Ti posso aiutare?	*Hai bisogno di aiuto / di qualcosa?*
Vuoi una mano?	*Posso fare qualcosa (per te/per Lei)?*
(come) Posso essere d'aiuto?	*La posso aiutare in qualche modo?*

Accettare	**Rifiutare**
Grazie, sei molto gentile!	*Grazie, ma non importa.*
Volentieri!	*No, grazie, non fa niente.*
La ringrazio tanto!	*Grazie, faccio anche da solo.*

3 ▷ **Sei *A*: offri la tua collaborazione a *B* che:**

- *non trova i biglietti per uno spettacolo teatrale*
- *ha molti pacchi da portare*
- *sembra molto stressato*
- *non riesce a trovare un appartamento vicino all'Università*
- *vuole fare la spesa, ma non sa dove può comprare i vari prodotti*

▷ **Sei *B*: accetta o rifiuta l'aiuto di *A*.**

4 **Leggete il testo e rispondete alle domande.**

Rosa: Pronto?
Monica: Ciao Rosa, sono Monica. Come va?
Rosa: Buongiorno, Monica, bene... e tu?
Monica: Senti, ho bisogno del tuo aiuto.
Rosa: Che c'è?
Monica: Sai... ho visto un bellissimo abito da sera in quel negozio in via Frattina.
Rosa: E io che c'entro?
Monica: Siccome oggi c'è sciopero dei mezzi pubblici e dei taxi... ecco... per caso mi puoi accompagnare?
Rosa: Scusami, Monica, ma oggi non posso portarti da nessuna parte. Magari lunedì.
Monica: Ma devo assolutamente comprarlo oggi! Domani c'è il matrimonio di Alessia!
Rosa: Mi dispiace davvero, ma oggi non posso proprio accompagnarti. Dopo la lezione voglio andare a quel nuovo ipermercato fuori città a fare la spesa. Ho il frigorifero vuoto!
Monica: Mmm ...Ho capito, non importa. Proverò a chiamare Matteo. Grazie lo stesso e... a presto!

1. Monica chiama Rosa perché
   - a. ha bisogno di un suo vestito
   - b. ha bisogno di un favore
   - c. vuole invitarla al suo matrimonio

2. Monica non può andare da sola al negozio perché
   - a. non sa dov'è
   - b. c'è uno sciopero dei mezzi di trasporto
   - c. la sua macchina è dal meccanico

3. Alla fine decide di
   - a. andarci a piedi
   - b. chiedere aiuto ad un altro amico
   - c. non comprare l'abito

5 **Osservate queste frasi e, in particolare, la posizione dei pronomi. Che cosa notate?**

...mi puoi accompagnare?

...devo comprarlo oggi.

6 Completate la tabella.

I pronomi diretti con i verbi modali

Mi puoi portare a casa?	➪	Puoi portar**mi** a casa?
.... devo convincere.	➪	Devo convincer**ti**.
Lo voglio comprare.	➪	Voglio comprar**lo**.
La devo invitare.	➪	Devo invitar**la**.
Signorina, non **La** posso aiutare.	➪	Signorina, non posso aiutar**La**.
Ci vogliono vedere.	➪	Vogliono veder ....
.... devono conoscere.	➪	Devono conoscer**vi**.
Non **li** posso incontrare.	➪	Non posso incontrar**li**.
Le voglio accompagnare.	➪	Voglio accompagnar ....

(di pillole)	**Ne** devo prendere una al giorno.	➪	Devo prender**ne** una al giorno.
(di esperienze)	**Ne** voglio fare molte.	➪	Voglio far**ne** molte.
(di soldi)	**Ne** posso spendere pochi.	➪	Posso spender**ne** pochi.

Attenzione: ~~Voglio lo vedere~~: errore!

I pronomi si mettono o prima del verbo modale o alla fine dell'infinito.

7 Date due risposte per ogni domanda secondo il modello.

Quando devi vedere il direttore? *(domani)*
a. *Lo devo vedere domani.* **b.** *Devo vederlo domani.*

1. Perché devi parcheggiare la moto proprio qui? *(è l'unico posto)*
2. Perché volete invitare anche i Santoro alla festa? *(sono nostri amici)*
3. Perché Tiziana vuole accompagnare le sue nipoti a casa? *(è tardi)*
4. Quando puoi consegnare il tuo compito? *(fra un'oretta)*
5. Quanto zucchero devi comprare? *(un chilo)*

14 - 17

F Vocabolario

1 Collegate ogni contenitore al proprio contenuto.

lattina

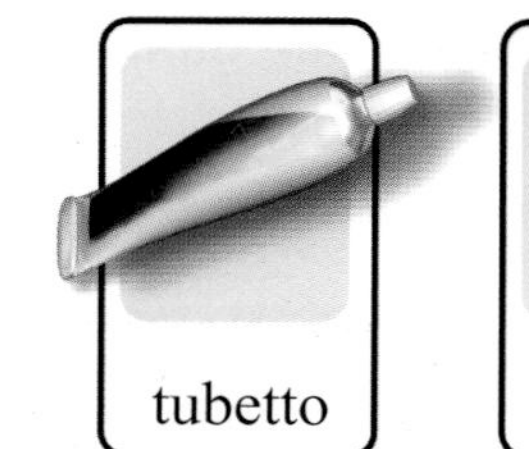
tubetto

vasetto

scatoletta

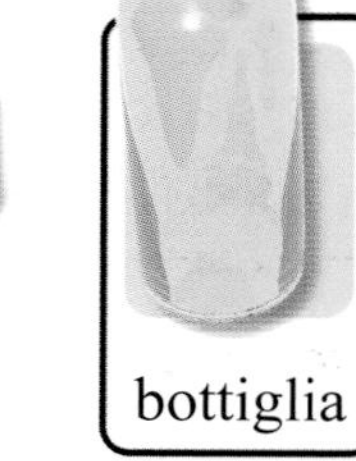
bottiglia

pacchetto

(di)

acqua *Coca cola* *spaghetti* *dentifricio* *marmellata* *tonno*

2 **Dove compriamo...?**
Abbinate i vari prodotti ai negozi.

supermercato

libreria

fioraio

1. un dizionario
2. un mazzo di rose
3. uno yogurt
4. i dolci
5. un medicinale
6. un chilo di arance
7. il pane
8. i gamberi freschi

panetteria

fruttivendolo

pasticceria

pescivendolo

farmacia

G Ce l'hai o no?

1 **Leggete il dialogo e mettete in ordine cronologico le affermazioni sottostanti.**

Valeria: Ce l'hai la lista della spesa, vero?
Franco: Sì, ce l'ho... o almeno spero.
Valeria: Cosa vuol dire "spero"? Ci avevo scritto tutto quello che manca.
Franco: Aspetta che controllo un attimo. ...No, non ce l'ho! L'avrò lasciata sul tavolo della cucina.
Valeria: Uffa! Sempre la stessa storia. Adesso come faccio a ricordare tutto: ce li abbiamo i pomodori o non ce li abbiamo? Meno male che non hai dimenticato anche le chiavi di casa. ...Perché mi guardi così?! Ce le hai o non ce le hai le chiavi?
Franco: ...Non le trovo. Incredibile! Ho dimenticato anche le chiavi! Scusami, amore!

1	*a. Valeria scrive le cose che vuole comprare.*
	b. Franco lascia la lista in cucina.
	c. Franco non trova le chiavi di casa.
	d. Valeria sembra un po' arrabbiata.
	e. Franco cerca la lista, ma non riesce a trovarla.

2 **Osservate:**

Hai il permesso di soggiorno?	Sì, **ce l'ho**.
Hai la carta di credito?	No, **non ce l'ho** ancora.
Hai tu i nostri passaporti?	Sì, **ce li ho** io.
Hai per caso le mie chiavi?	No, mi spiace, **non ce le ho**.
Ma:	
C'è del vino?	Sì, **ce n'è** una bottiglia.
C'è un portacenere?	No, **non ce n'è** nemmeno uno.
Ci sono molti turisti in Italia?	Sì, **ce ne sono** molti.
Ci sono abbastanza olive verdi?	**Ce ne sono**, ma poche.

3 **Osservando la tabella rispondete alle domande che seguono.**

1. Quante bottiglie di acqua ci sono nel frigorifero? *(una)*
2. C'è qualche supermercato qua vicino? *(due)*
3. Chi ha i nostri passaporti? *(Pamela)*
4. Hai tu il regalo di Sara? *(no)*
5. Avete le chiavi di casa? *(sì)*

18 e 19

H Abilità

42 **1** **Ascolto** Quaderno degli esercizi

2 **Situazioni**

Role-play

1. ***A*** e ***B*** stanno per andare al supermercato e preparano la lista delle cose da comprare. Osservate il disegno delle cose che mancano e immaginate il dialogo precisando anche la quantità per ogni prodotto.
2. ***A*** è in un negozio di alimentari e vuole comprare tutti i prodotti della lista a sinistra. ***B*** è il negoziante. Immaginate il dialogo. Forse sono utili frasi come: *prego signora/e..., desidera..., vorrei anche...* .

- Prosciutto crudo (2 etti)
- Panini (4)
- Formaggio grattugiato (1/2 Kg.)
- Latte (2 litri)
- Biscotti (2 confezioni, per la colazione)

3 **Scriviamo**

Scrivete una breve storia cominciando con queste parole: "Quel giorno al supermercato è successo qualcosa di strano/spaventoso /importante...". (*80-100 parole*)

Test finale

Dove fare la spesa

Gli italiani stanno generalmente attenti alla loro alimentazione. Inoltre, negli ultimi anni sempre più persone scelgono prodotti biologici e marchi DOC*, DOP*, più costosi, ma più genuini*. Per fare la spesa di solito preferiscono andare al **supermercato** della loro zona (come *Conad*, *Coop*, *Pam* ecc.) che ha i prodotti più pubblicizzati e noti. Un altro tipo di supermercato sono i **discount**: offrono una grande varietà di prodotti non molto reclamizzati* e, perciò, più economici. Alla periferia delle città ci sono anche gli **ipermercati**: sono molto più grandi ed è possibile trovarci di tutto a prezzi convenienti. Il tradizionale **negozio di alimentari** continua ad esistere e i rapporti tra il proprietario e il cliente sono meno impersonali rispetto al supermercato.

Molti italiani, inoltre, vanno al **mercato**, che si svolge in ogni città in spazi aperti o chiusi. In alcuni mercati, oltre a frutta e verdura fresca, è possibile trovare di tutto: scarpe, vestiti (nuovi e usati), prodotti per la casa ecc. Tipico esempio quello di Porta Portese a Roma che si svolge ogni domenica. Altri mercati molto noti e grandi, anche per fare la spesa, sono quelli della Montagnola a Bologna e di San Lorenzo a Firenze.

Indicate le informazioni veramente presenti nel testo.

1. Tipi di negozi che preferiscono gli italiani. ☐
2. Esempi di prezzi di vari prodotti. ☐
3. Le differenze tra i vari tipi di negozi. ☐
4. Alcuni noti mercati all'aperto. ☐
5. Alcune abitudini alimentari degli italiani. ☐
6. Le differenze tra i prodotti italiani e stranieri. ☐

Molti supermercati vendono i loro prodotti anche online e li consegnano direttamente a casa.

Prodotti tipici italiani

Sono più di 150 i prodotti tipici italiani che hanno ottenuto il riconoscimento DOP dall'Unione Europea. Molti sono famosi, esportati in tutto il mondo: la ricotta romana, il pecorino romano, l'aceto balsamico, la mortadella ecc. Ma probabilmente i più noti sono i tre che seguono.

Parmigiano Reggiano

È in assoluto il Re dei formaggi italiani. La sua storia è antichissima, nasce nel Medioevo (anche Boccaccio ne parla nel suo *Decameron*) nella Pianura Padana. È un formaggio che si conserva a lungo senza perdere le sue qualità che invece aumentano con il passare del tempo. Dopo un attento processo* di lavorazione si mette in grosse forme dove rimane per alcuni giorni. Segue poi il periodo della stagionatura* (1-3 anni) in locali umidi. Con il suo sapore delicato e gustoso allo stesso tempo il Parmigiano Reggiano, grattugiato o a pezzi, è protagonista di antipasti, primi, secondi, contorni. Inoltre è un alimento preziosissimo: energetico ma non grasso.

Già gli antichi romani conoscevano dei metodi per conservare la carne di maiale e alla fine del 500 ritroviamo un processo di stagionatura e salatura* simile ad oggi.

Ciò che differenzia questo rinomato prosciutto da tutti gli altri è il suo sapore dolce dovuto al particolare processo di stagionatura (14-24 mesi) delle cosce* di maiale ma soprattutto al clima mite della zona di Parma. Le sue fette rosee e tenere devono essere assaporate con tutto il grasso. Alimento genuino, equilibrato sotto l'aspetto nutrizionale*, dolce e saporito al tempo stesso, è ideale per ogni occasione e per ogni gusto.

Da: *Prodotti tipici d'Italia*, Garzanti ed.

Mozzarella di bufala*

La vera mozzarella è quella preparata con il latte di bufala, più saporito e cremoso di quello di mucca che però è più magro. Simbolo dell'Italia in tutto il mondo come ingrediente base della pizza, la ritroviamo in mille ricette della dieta mediterranea. Le origini di questo formaggio fresco si perdono nella leggenda, a quando nel III sec. a.C. Annibale porta in Italia i bufali. La sua lavorazione resta in buona parte artigianale*. È preferibile toglierla almeno un'ora prima dal frigorifero prima di servirla. Formaggio nobilissimo ha un sapore unico.

Abbinate le affermazioni al testo giusto (A, B o C).

1. Il suo sapore particolare è dovuto alla zona di produzione.
2. Un ingrediente utilizzato in tanti altri piatti oltre alla pizza.
3. Si può preparare anche con il latte di mucca.
4. Il suo metodo di lavorazione non è cambiato molto nei secoli.
5. Più passa il tempo e più diventa buono.
6. Ne ha parlato anche un famoso scrittore.

Glossario: DOC: Denominazione di Origine Controllata (per i vini); DOP: Denominazione di Origine Protetta; genuino: naturale; reclamizzato: pubblicizzato; processo: procedura; stagionatura: maturazione, periodo necessario per ottenere il sapore desiderato; salatura: aggiunta di sale in un alimento; coscia: la parte sopra il ginocchio; nutrizionale: relativo all'alimentazione; bufala: animale simile alla mucca, ma più grande e di colore nero; artigianale: fatto a mano in maniera tradizionale.

Autovalutazione
Che cosa avete imparato nelle unità 7 e 8?

1. Sapete...? Abbinate le due colonne.

1. esprimere rammarico
2. offrire aiuto
3. esprimere disaccordo
4. rifiutare l'aiuto
5. esprimere accordo

a. *Vuoi una mano?*
b. *Grazie, ma faccio da solo.*
c. *Accidenti! Ma perché proprio oggi?*
d. *Hai ragione, la colpa è mia.*
e. *Mah, non credo.*

2. Abbinate le frasi. Attenzione: c'è una risposta in più!

1. Quanto ne vuole?
2. Ma tu lo sapevi già?
3. Quale vuoi?
4. Posso essere d'aiuto?
5. Niente secondo?

a. Veramente l'ho appena saputo.
b. No, meglio un contorno.
c. Due etti, grazie.
d. Li voglio tutti e due.
e. Accidenti!
f. Grazie, molto gentile.

3. Completate.

1. Quanti etti ci vogliono per fare mezzo chilo? ....
2. Due negozi che non vendono alimenti: ....
3. L'imperfetto di *essere* (prima persona plurale): ....
4. Il singolare del pronome diretto *ci*: ....
5. Il plurale di *l'ho vista*: ....

4. Per ogni tipo di negozio ci sono tre prodotti giusti e uno sbagliato. Quale?

1. negozio di alimentari: *latte prosciutto zucchero fiori*
2. farmacia: *medicine acqua minerale cosmetici vitamine*
3. macellaio: *pollo pesci maiale bistecche*
4. fruttivendolo: *formaggio banane arance mele*

Verificate le vostre risposte a pagina 191.
Siete soddisfatti?

Il Duomo,
Firenze

Per cominciare...

1 Osservate questi negozi. Secondo voi, quale vende abiti, quale scarpe e quale accessori vari?

2 Osservate le illustrazioni nella pagina successiva e cercate di immaginare che cosa succede.

43
3 Ascoltate il dialogo e indicate le affermazioni corrette.

1. Vittorio, il protagonista,
   - a. sta male
   - b. è stanco
   - c. è triste

2. La sera prima, Vittorio
   - a. è uscito
   - b. ha dato un festa
   - c. ha guardato la tv

3. Claudia, la ragazza che ha conosciuto,
   - a. non lavora
   - b. lavora in un negozio
   - c. è una stilista di moda

4. Vittorio e Claudia pensano di
   - a. sposarsi presto
   - b. rivedersi presto
   - c. lasciarsi presto

In questa unità...

1. ...impariamo a parlare di spese, a chiedere ed esprimere un parere, a usare espressioni impersonali, a parlare di abbigliamento (capi, taglia/numero, colore, stile), a informarsi sul prezzo;
2. ...conosciamo i verbi riflessivi e la forma impersonale;
3. ...troviamo informazioni e curiosità sulla moda italiana.

A Un incontro

1 Leggete e ascoltate il testo. Confermate le vostre risposte all'attività precedente.

Carlo: Buongiorno! ...Ma cos'hai? Non ti senti bene?

Vittorio: Mi sento proprio distrutto!

Carlo: Hai fatto di nuovo le ore piccole, eh?

Vittorio: Guarda che ieri io non avevo nemmeno voglia di uscire.

Carlo: Sì, va be', la solita storia... e poi?

Vittorio: Mi ha chiamato mia cugina per invitarmi alla sua festa di compleanno.

Carlo: A casa sua?

Vittorio: Sì, ma dopo siamo usciti. Veramente io non volevo perché ogni mattina mi alzo alle 7... Sono rimasto perché insisteva tanto!

Carlo: Chi? Tua cugina?

Vittorio: No, Claudia, una sua amica. Una ragazza bellissima che ho conosciuto ieri sera.

Carlo: Ahhh... interessante!

Vittorio: In realtà ci eravamo incontrati anche l'anno scorso, ma poi niente. Ieri, però, abbiamo parlato per ore.

Carlo: Ma lei che fa, studia?

Vittorio: No, fa la commessa al negozio Armani in via dei Condotti.

Carlo: Ah... E come è andata a finire la serata?

Vittorio: Siamo andati a ballare e ci siamo divertiti un sacco. Poi siamo andati via insieme e l'ho accompagnata a casa sua.

Carlo: E allora?

Vittorio: E allora niente! ...L'ho salutata e sono tornato a casa.

Carlo: Ho capito. Ti sei innamorato!!! E ora?

Vittorio: Ci vedremo domani sera.

1 2 3 4 5

2 **Abbinate.**

Lavorate in coppia. Ogni disegno corrisponde a un verbo nel dialogo. Quale?

3 **Leggete e rispondete.**

Assumete i ruoli di Carlo e Vittorio e leggete il dialogo. Poi rispondete alle domande.

1. Perché Vittorio è stanco?
2. Cosa ha fatto Vittorio quando ha ricevuto la telefonata di sua cugina?
3. Quando si erano incontrati per la prima volta Vittorio e Claudia?
4. Quando si rivedranno?

4 **Dopo la lezione, Carlo incontra Dacia che ha voglia di chiacchierare un po'. Completate con i verbi dati.**

Dacia: Oggi Vittorio sembrava molto stanco, vero?
Carlo: Stanco, ma felice: ieri sera .... molto!
Dacia: Che ha fatto di speciale?
Carlo: È andato a una festa e, da quello che dice, ... di una ragazza!
Dacia: Davvero?! E chi è? La conosco?
Carlo: No! Anche se .... anche in passato.
Dacia: Mmm! E si sono già messi insieme?!
Carlo: Beh, non ancora, ma lui sembra innamorato cotto! Anzi, è impaziente di rivederla.
Dacia: Ah, e quando ....?
Carlo: Si vedranno domani, ... stamattina per telefono. Però, Dacia, mi raccomando! Acqua in bocca!
Dacia: Non ti preoccupare: sai che .... di me...

si erano visti
si sono sentiti
si è innamorato
si è divertito
ti puoi fidare
si rivedranno

5 **Scrivete un breve riassunto *(40-50 parole)* del dialogo introduttivo tra Carlo e Vittorio.**

....
....
....
....
....

6 In base a quanto avete visto e a queste frasi completate la tabella:

Patrizia veste la sua bambina	***Patrizia si veste*** (Patrizia veste se stessa)

I verbi riflessivi

divertirsi

io	**mi diverto**	un sacco.
tu	.... **diverti**	con questa musica?
lui, lei, Lei	**si diverte**	solo quando esce.
noi	**ci divertiamo**	sempre insieme.
voi	**vi divertite**	se rimanete a casa?
loro	.... **divertono**	quando vanno a ballare.

7 Abbinate le frasi delle due colonne.

1. Il signor Pedrini
2. Anche se sono stranieri,
3. Scusi, Lei
4. Che c'è Gianna,
5. Noi in questo appartamento
6. Ogni volta che guardo la tv

a. *non ti senti bene?*
b. *mi addormento.*
c. *ci troviamo molto bene.*
d. *si esprimono molto bene in italiano.*
e. *si veste sempre elegantemente.*
f. *come si chiama?*

8 Osservate la tabella e poi formate delle frasi con i verbi tra parentesi.

I verbi riflessivi reciproci

Io ti vedo spesso. / Tu mi vedi spesso. = (noi) **Ci vediamo** spesso.
Tu la ami molto. / Lei ti ama molto. = (voi) **Vi amate** molto.
Piero guarda Lisa. / Lisa guarda Piero. = Piero e Lisa **si guardano**.

1. I miei genitori, dopo tanti anni *(amarsi)* sempre come il primo giorno.
2. Quei due quando *(incontrarsi)* per strada non *(salutarsi)* mai.
3. Dopo tanti anni mio fratello e suo suocero *(darsi)* ancora del Lei.
4. Tu e Lidia *(sentirsi)* spesso per telefono?
5. Allora, *(noi vedersi)* alle 8 in piazza.

1 - 8

9 **Osservate queste frasi e provate a completare la tabella.**

Ci eravamo incontrati anche l'anno scorso.

Ci siamo divertiti un sacco.

Ti sei innamorato!!!

I verbi riflessivi nei tempi composti

Mi sono sbrigato/a	per fare in tempo.
.... **innamorato/a**	di nuovo?
Si è sentito/a	male.
.... **conosciuti/e**	solo ieri.
Vi siete fermati/e	a Piazza Navona?
Si sono visti/e	parecchie volte.

10 **Completate le frasi secondo il modello.**

Ci incontriamo ogni giorno. *(anche ieri)* ⇨ *Ci siamo incontrati anche ieri.*

1. Non si addormentano mai davanti alla tv. *(ieri sera invece sì)*
2. Prima di mangiare mi lavo sempre le mani. *(anche questa volta)*
3. Anna ed io ci sentiamo spesso per telefono. *(anche oggi)*
4. Di solito Luigi si veste male. *(oggi però bene)*
5. Ogni mattina mi alzo presto. *(stamattina tardi)*

9 - 11

B L'ho vista in vetrina...

44 **1** **Ascoltate una prima volta la registrazione: dove e tra chi si svolgono i due dialoghi, secondo voi?**

44 **2** **Ascoltate di nuovo i dialoghi e scegliete le affermazioni giuste.**

1. Alla prima cliente piace una camicetta
- ☐ a. di viscosa e cotone
- ☐ b. di viscosa e seta
- ☐ c. di seta e cotone

2. Alla fine
- ☐ a. compra quella bianca
- ☐ b. compra quella celeste
- ☐ c. le compra tutte e due

3. La seconda cliente vuole un paio di scarpe
- ☐ a. di pelle nera
- ☐ b. di pelle marrone
- ☐ c. con il tacco basso

4. Alla fine
- ☐ a. paga con la carta di credito
- ☐ b. paga in contanti
- ☐ c. non compra le scarpe

3 **Leggete i testi e verificate le vostre risposte.**

a. In un negozio di abbigliamento

commessa: Buongiorno! Desidera?
Alessandra: Buongiorno! Ho visto una camicetta a fiori in vetrina che mi piace molto. È di seta, credo.
commessa: No, è un tessuto misto... vediamo: sì, viscosa e cotone. Di che colore la vuole?
Alessandra: Quella fuori è celeste, vero? C'è anche in bianco?
commessa: Credo di sì; che taglia porta?
Alessandra: La 40.
commessa: Vediamo un po'... sì, eccola.
Alessandra: La posso provare?
commessa: Certo, il camerino è là, in fondo a sinistra. ...Uhmm, Le sta molto bene!
Alessandra: Sì, è vero, mi piace proprio! Quanto costa?
commessa: Costa 69 euro e 90 centesimi, ma c'è uno sconto del 20%. Quindi, ...55 euro e 92.
Alessandra: Perfetto! La prendo. Ecco a Lei!

b. In un negozio di calzature

Giovanna: Buongiorno! Vorrei vedere quelle scarpe di pelle in vetrina.
commessa: Quelle col tacco alto?
Giovanna: Sì, quelle. Ci sono anche in marrone o solo in nero?
commessa: Tutte e due. Questo modello va molto di moda quest'anno.
Giovanna: Lo so! Lo vedo su tutte le riviste. Posso provare quelle marroni?
commessa: Certo. Che numero porta?
Giovanna: Il 39.
commessa: Un attimo che le cerco... Eccole! Prego. ...Vanno bene?
Giovanna: ...Sì, mi piacciono... sono molto morbide. Quanto vengono?
commessa: ...98 euro, signora.
Giovanna: Mmm, credevo meno. Non c'è lo sconto?
commessa: Mi dispiace, abbiamo prezzi fissi, i saldi sono finiti.
Giovanna: Mmm... non importa, voglio comprarle lo stesso! Accettate carte di credito, vero? Perché non ho abbastanza contante.
commessa: Certo, come no?
Giovanna: Benissimo!

4 **Dividetevi in due gruppi, *a* e *b*: cercate, ogni gruppo nel rispettivo dialogo, espressioni per fare acquisti.**

Role-play

5 ▷ Sei *A*: entri in un negozio di abbigliamento per comprare un regalo a un amico. Chiedi aiuto alla commessa (o al commesso) su che cosa è di moda, idee, prezzi, tessuti ecc.

▷ Sei *B*: sei la commessa (o il commesso) e cerchi di aiutare *A* a scegliere qualcosa che piacerà al suo amico; fai domande e fornisci suggerimenti sulla taglia, lo stile (classico, sportivo ecc.), i colori e la somma che *A* è disposto/a a spendere per questo regalo.

Potete usare le espressioni che avete sottolineato all'attività 4 e quelle che seguono.

Chiedere il prezzo
quant'è?/quanto viene?
quanto costa?
c'è lo/uno sconto?

Parlare del colore
di che colore è?
c'è anche in blu?
lo preferisco nero

Esprimere un parere
è molto elegante!
è di/alla moda!
è bellissimo!

Parlare del numero/della taglia
che numero porta?
che taglia è?
è un po' stretto!

C Capi di abbigliamento

1 Osservate le foto e scoprite i due errori!

1. gonna, 2. camicetta, 3. giacca da donna, 4. calze, 5. cappotto, 6. giacca da uomo, 7. camicia, 8. pantaloni, 9. cravatta, 10. occhiali da sole, 11. maglione, 12. jeans, 13. giubbotto

2 **a. Abbinate tra loro i sinonimi**

maglietta	*raffinato*
tessuto	*portare*
pullover	*t-shirt*
elegante	*stoffa*
indossare	*maglione*

b. Abbinate tra loro i contrari

abbottonato	*moderno*
stretto	*lungo*
corto	*largo*
classico	*vestirsi*
spogliarsi	*aperto*

3 **I colori. Completate con quelli che mancano.**

.... rosa .... marrone bianco rosso .... verde giallo grigio

4 **Osservate questa vetrina, scegliete un capo che volete comprare e descrivetelo ai vostri compagni. Se la descrizione è giusta loro vi diranno quanto spenderete.**
Esempio: "Sono blu, stretti, moderni".

5 **Scegliete un vostro compagno e, senza fare il nome, descrivete al resto della classe com'è vestito: gli altri devono capire di chi state parlando.**

D A che ora ci possiamo vedere?

1 Osservate le frasi. Che cosa notate?

- A che ora ci possiamo vedere oggi?
- Mi dispiace, oggi non possiamo vederci!

- Sono in ritardo, devo vestirmi in 10'!
- Io mi devo vestire in 10' ogni giorno!

I verbi riflessivi con i verbi modali

Dobbiamo fermarci per un attimo.	**Ci dobbiamo fermare** per un attimo.
A che ora **vuoi svegliarti** domani?	A che ora **ti vuoi svegliare** domani?
Possiamo trovarci stasera?	**Ci possiamo trovare** stasera?

Come abbiamo già visto nell'unità 8, i pronomi si mettono o prima del verbo modale o alla fine dell'infinito.

2 Completate le frasi secondo il modello.

Andrea, *(tu dovere prepararsi).*
a. *Andrea, ti devi preparare.* **b.** *Andrea, devi prepararti.*

1. Scusa, ma io non *(potere cambiarsi)* qui!
2. Se vogliono superare l'esame, *(dovere mettersi)* a studiare seriamente.
3. Michele, se *(volere lavarsi)* le mani, il bagno è in fondo a destra.
4. Noi *(volere incontrarsi)*, ma non troviamo mai il tempo.
5. Ma perché *(tu dovere arrabbiarsi)* ogni volta che hai torto?!

12

3 Osservate:

Mi sono dovuto svegliare presto stamattina.

Io **ho dovuto svegliarmi** tardi.

Carla non **si è potuta preparare** in tempo.

Nemmeno Lucia **ha potuto prepararsi** in tempo.

Nota: Nei tempi composti (passato prossimo, trapassato prossimo, futuro composto ecc.) se mettiamo il pronome prima del verbo modale, usiamo l'ausiliare *essere*. Se lo mettiamo alla fine dell'infinito, usiamo l'ausiliare *avere*.

4 **Formate delle frasi secondo il modello.**

> Perché *(tu dovere svegliarsi)* così presto?
> **a.** *Perché ti sei dovuto svegliare così presto?* **b.** *Perché hai dovuto svegliarti così presto?*

1. Come mai *(tu volere vestirsi)* così pesante?
2. Dora e Maria non *(potere incontrarsi)* perché erano impegnate.
3. Alla fine *(noi dovere rivolgersi)* al direttore dell'albergo.
4. Come mai Margherita *(volere occuparsi)* di sport ultimamente?
5. Il negoziante non *(potere difendersi)* dal ladro.

13

E Cosa ne pensi?

1 **Ascoltate i mini dialoghi e abbinateli alle immagini.**

a.
- Ecco il cappotto che mi piace. Che ne pensi?
- Bello! Quanto costa?
- 400 euro.
- Mah! Secondo me, è un po' caro!

b.
- Andiamo a fare spese domani; eh, che ne dici?
- D'accordo!

c.
- Cosa ne pensi di quel golf? A me sembra un po' pesante.
- No, non credo che sia pesante. Anzi, penso che sia abbastanza leggero.

d.
- Bello questo vestito! Che ne dici?
- Sì, lo trovo molto elegante, anche se un po' classico.

2 **Osservate:**

Chiedere un parere	**Esprimere un parere**
che ne pensi?	*lo trovo un po'...*
che ne dici?	*secondo me, è...*
cosa ne pensi di...?	*penso che sia... / credo che sia...**

***Nota:** *"credo che sia" e "penso che sia" sono forme del congiuntivo, molto utili per parlare e scrivere in modo corretto e che vedremo dettagliatamente in Progetto italiano 2. Quindi, pazienza!*

Role-play

3 ▷ Sei *A*: chiedi il parere di *B* su:

- *qualcosa che indossi*
- *un personaggio famoso*
- *gli italiani e le italiane*
- *un regalo che vuoi fare*
- *una tua idea*
- *una città*

▷ Sei *B*: esprimi la tua opinione su quello che dice *A*.

F Come si vive in Italia?

1 Jenny pensa di andare a studiare in Italia e ne parla con un suo amico che è già studente a Bologna. Leggete il loro dialogo e indicate le affermazioni che sono veramente presenti.

Jenny: Racconta un po': com'è la vita da studente in Italia?
Giorgio: Cosa vuoi sapere in particolare?
Jenny: Per esempio, bisogna studiare molto?
Giorgio: Chiaro: se uno vuole superare gli esami... beh, deve studiare.
Jenny: E di solito si esce molto?
Giorgio: Dipende dalla città. A Bologna, per esempio, dove sto io, ci sono moltissimi studenti e si esce spesso. Senza esagerare, però!
Jenny: Ah... e quando si esce che si fa, dove si va?
Giorgio: Mah, dipende, uno può andare a ballare in discoteca, può andare a bere o a mangiare in un'osteria ecc. Ci sono tanti locali per i giovani.
Jenny: Ah, bene! E si spende molto per uscire, per fare la spesa?
Giorgio: Guarda... sicuramente non è la città più economica d'Italia. Però, quando comincerai a conoscerla... vedrai che è possibile vivere bene con poco. Anzi, ci si diverte senza spendere tanto e alla mensa si mangia bene e si paga pochissimo.

1. Jenny chiede informazioni sui docenti dell'Università di Bologna.
2. Giorgio dice che superare gli esami non è molto facile.
3. Non si esce molto la sera in tutte le città italiane.
4. Di solito, quando si esce, si va al cinema o a teatro.
5. In genere, ci si diverte senza spendere tanti soldi.
6. Alla mensa si mangia bene.

2 Osservate le affermazioni n. 3-6. Qual è il soggetto del verbo in queste frasi?

3 **Osservate la tabella.**

La forma impersonale

In mensa **uno mangia** molto bene. ➪ In mensa **si mangia** molto bene.
Se **uno** non **studia**, non impara. ➪ Se non **si studia**, non **si impara**.

Attenzione: **Uno si** diverte molto. *non* ~~Si si~~ diverte molto. *ma* **Ci si** diverte molto.
Uno si sveglia presto. *non* ~~Si si~~ sveglia presto. *ma* **Ci si** sveglia presto.

4 **Trasformate le frasi secondo il modello.**

In Italia *(viaggiare)* spesso in treno.
a. *In Italia si viaggia spesso in treno.* **b.** *In Italia uno viaggia spesso in treno.*

1. Per comprare un appartamento in centro *(dover pagare)* tantissimo.
2. In questo ristorante *(mangiare)* bene.
3. Di solito non *(telefonare)* in casa di altri dopo le dieci di sera.
4. In una città come Firenze *(spendere)* molto per vivere.
5. Negli ultimi anni *(sposarsi)* dopo i trent'anni.

Osservate:
Quando uno è giovane, è più ottimista. ➪ Quando **si è giovani**, **si è** più **ottimisti**.
Se uno lavora troppo, si sente stanco. ➪ Quando si lavora troppo, **ci si sente stanchi**.

➪14 - 17

5 **Nel dialogo F1 abbiamo incontrato anche alcune espressioni impersonali. Eccone una lista più completa:**

È possibile pagare con la carta di credito. *(Si può pagare...)*
Bisogna leggere le istruzioni.
È necessario lavorare di più. *(Bisogna, Si deve)*
(È) meglio andare via.
Non è **facile/difficile** fare nuove amicizie.
Non è **giusto** parlare così.
È inutile/utile cercare di convincerlo.
È bello stare con te.

In espressioni come queste non è necessario specificare il soggetto.
Dal contesto possiamo capire chi parla e di che cosa.

➪18

Formate qualche frase con queste espressioni.

....

G Abilità

1 Comprensione. **La sig.ra Andretti parla con suo marito dei regali che ha comprato per Natale ai vari membri della famiglia. Abbinate le descrizioni alle illustrazioni opportune.**

“A Maria ho comprato una bella sciarpa rosa di lana. A Tonino una cravatta grigia a righe, un po' cara ma bella. A Laura ho comprato un paio di guanti neri di pelle rivestiti di pelliccia. Per me un vestito verde a fiori che cercavo da tempo. Infine, per te caro ho comprato una maglia blu di cotone a maniche lunghe... Accidenti! Ti ho rivelato il tuo regalo!”

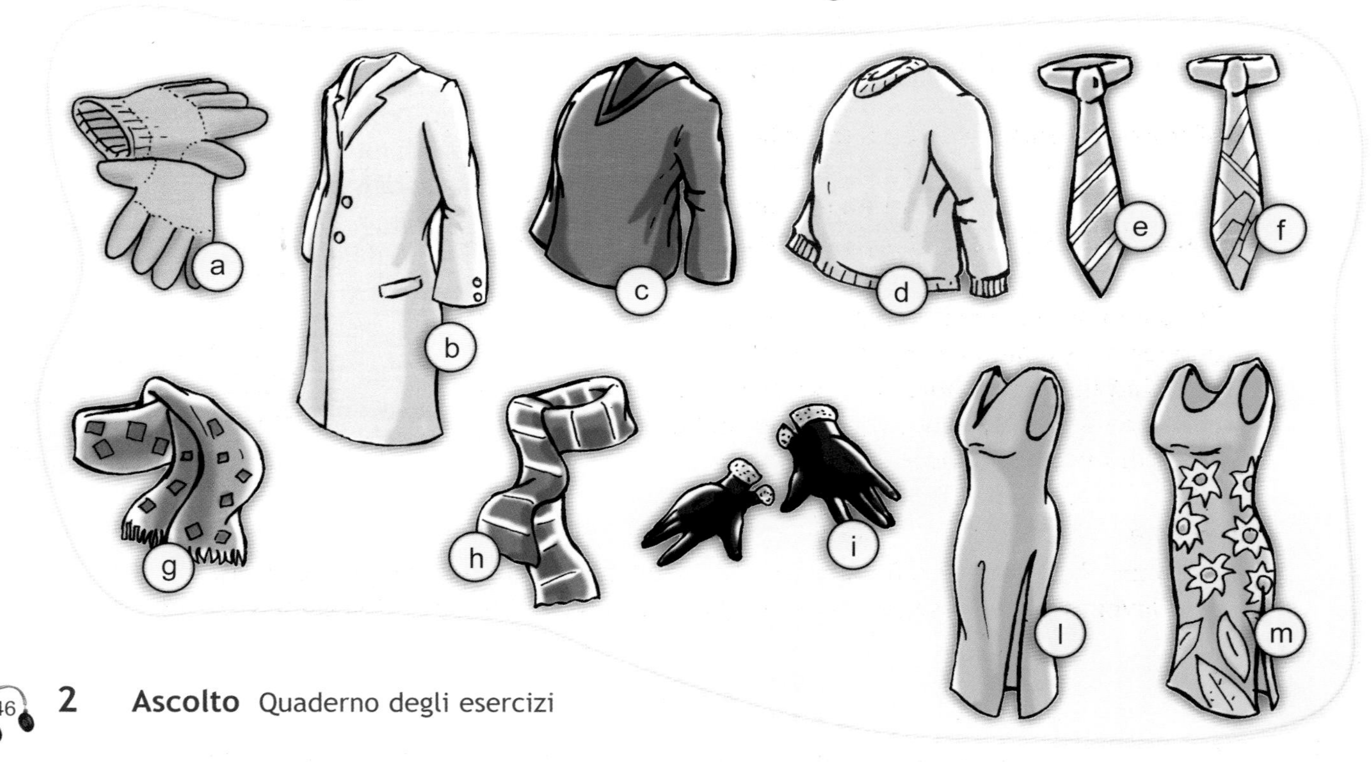

46 **2 Ascolto** Quaderno degli esercizi

3 Parliamo

1. Qual è il tuo stile nell'abbigliamento? In quali occasioni ti vesti in modo più classico o formale?
2. Dove vai a fare spese di solito: in centro, vicino a casa tua, nei centri commerciali?
3. Consideri l'abbigliamento importante e perché? Spendi relativamente (in base alle tue disponibilità economiche, rispetto ai tuoi amici ecc.) molto o poco per vestirti? Scambiatevi idee.
4. Quando è il periodo dei saldi nel vostro paese? Sono veramente convenienti?
5. Quanto è apprezzata la moda italiana nel vostro paese?

4 Scriviamo

Hai intenzione di andare a Roma per un paio di giorni. Scrivi un'e-mail ad una tua amica che studia lì per informarla di questo breve viaggio e delle spese che pensi di fare. Inoltre, chiedi se, in genere, conviene fare acquisti in Italia e dove in particolare a Roma. *(80-100 parole)*

Test finale

La moda italiana

Da molti anni l'Italia è sinonimo di moda. Il "made in Italy", espressione del gusto e della raffinatezza* degli italiani, è uno dei settori più sviluppati dell'economia con esportazioni in tutto il mondo.

Gli italiani sono un popolo elegante e sono molto attenti alla moda. Tant'è vero che spendono parecchio per l'abbigliamento, anche se non tutti si possono permettere i capi firmati* dei grandi stilisti. La maggior parte, infatti, si rivolge a tanti altri stilisti, meno conosciuti all'estero, che offrono alta qualità a prezzi più bassi.

Gli stilisti italiani

Chi non li conosce? I loro capi si trovano nei migliori negozi di tutto il mondo e le loro sfilate sono considerate spesso importanti eventi culturali. Vediamo in breve alcune di queste case di moda, diventate dei veri imperi* economici:

Armani, creato da Giorgio Armani, con uno stile tutto suo. Con negozi propri in molte grandi città è uno dei marchi preferiti da molte stelle di Hollywood. Famosi i suoi completi da uomo e i suoi tailleur.

Valentino è dagli anni '60 sinonimo di lusso e uno dei marchi preferiti dall'alta società, con tanti clienti famosi. Oltre ad abiti classici produce anche articoli più moderni, jeans ecc.

Ferrè, creato da Gianfranco Ferrè, che fra l'altro ha diretto per anni la casa Dior, produce abiti dallo stile un po' più classico.

Roberto Cavalli è conosciuto per gli abiti da donna molto particolari e moderni, famosi sono anche i suoi jeans e i suoi profumi.

Versace è una casa di moda nota per i disegni moderni e i colori vivaci. Molto famosa la sua linea di accessori.

Altri marchi di successo mondiale sono **Trussardi** (famosi i suoi jeans e i suoi accessori di pelle), **Missoni** (noto soprattutto per i suoi capi multicolori), **Laura Biagiotti**, **Prada** (che firma scarpe e accessori di lusso), **Gucci** (sinonimo di abiti, borse e accessori di alta qualità), **Dolce & Gabbana** e **Moschino** (gli stilisti preferiti dai giovani di tutto il mondo), **Ermenegildo Zegna**, **Salvatore Ferragamo**, **Krizia**, **Cerruti** ecc.

Luciano Benetton, da semplice commesso è arrivato a costruire pian piano un vero e proprio impero economico basato su idee semplici: capi colorati, clientela giovanile, vendita tramite il sistema franchising e pubblicità intelligenti e originali. Queste ultime, considerate spesso provocatorie, hanno suscitato molte polemiche, ma hanno anche fatto parlare della Benetton.
Un successo simile hanno avuto la **Sisley** e la **Stefanel**.

Moda italiana, però, non significa solo abbigliamento. Molto noti sono gli occhiali della **Luxottica**, che è il più grande produttore del mondo e collabora con le più importanti firme del settore, italiane e non.

Altrettanto famosi sono i gioielli italiani. L'Italia è il massimo produttore di oro lavorato a livello mondiale e la fantasia degli stilisti del genere (*Bulgari* ecc.) è senza limiti.

I prodotti di pelle (scarpe, accessori, giubbotti) sono, infine, un altro settore di successo internazionale degli italiani.

Leggete il testo e scegliete le affermazioni giuste.

1. Per gli italiani è molto importante
☐ a. comprare abiti firmati dai grandi stilisti
☐ b. vestirsi bene
☐ c. spendere poco per l'abbigliamento

2. Degli stilisti presentati, più classici sono
☐ a. Armani e Versace
☐ b. Trussardi e Dolce & Gabbana
☐ c. Valentino e Ferrè

3. Molto famosi sono gli accessori di
☐ a. Moschino
☐ b. Gucci
☐ c. Missoni

4. Luciano Benetton
☐ a. deve molto alle sue pubblicità
☐ b. è molto giovane
☐ c. ha ereditato una grande azienda

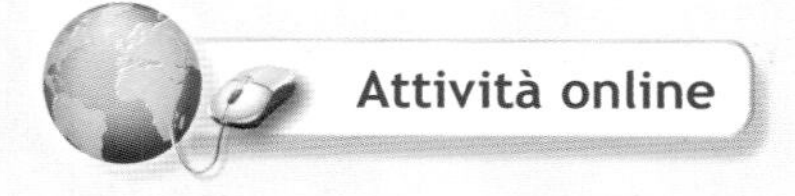

Glossario: raffinatezza: eleganza, finezza; capo firmato: vestito che porta la firma di un famoso stilista; impero: grande e potente organizzazione economica.

IGPDecaux
Fatte male, fanno male

Nessuna indicazione della provenienza
Materiali non garantiti
Basso valore aggiunto
Alto ricarico sui costi
Prezzi ingiustificati

Fatte bene, fanno bene

Materie prime selezionate
Innovazione nei processi produttivi
Attenzione alla salute e all'ambiente
Styling
Prezzi rapportati alla qualità

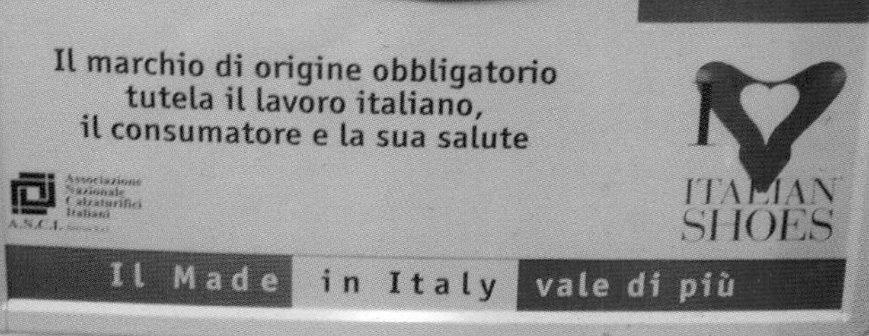

Autovalutazione
Che cosa avete imparato nelle unità 8 e 9?

1. Sapete...? Abbinate le due colonne.

1. esprimere un parere
2. informarvi sul colore
3. informarvi sul prezzo
4. esprimere rammarico
5. chiedere un parere

a. *Bene, e quanto costa?*
b. *Che peccato!*
c. *Penso che sia una buona idea.*
d. *C'è anche in rosso, per caso?*
e. *Allora, che ne pensi?*

2. Abbinate le frasi. C'è una risposta in più!

1. Che taglia porta?
2. C'è lo sconto, vero?
3. Come ti sta?
4. Ha del buon prosciutto?
5. Posso aiutarla?

a. Ottimo, quanto ne vuole?
b. Bene, grazie e tu?
c. Vorrei un paio di scarpe.
d. La Extralarge.
e. È un po' stretto.
f. Sì, del 15%.

3. Completate.

1. Tre stilisti italiani: ....
2. Quattro colori: ....
3. Due tipi di tessuto: ....
4. Tre aggettivi per descrivere un abito: ....
5. Il plurale di *mi sono dovuto svegliare*: ....

4. Scoprite le dieci parole nascoste, in orizzontale e in verticale, in questo riquadro.

D	U	V	E	T	A	C	C	O	N	B	E
A	G	I	O	F	I	G	I	A	C	C	A
V	E	T	R	E	N	A	T	U	N	I	C
E	L	U	S	O	D	R	I	A	Z	H	A
L	E	C	P	R	O	V	A	R	E	S	P
C	G	I	B	Y	S	C	E	J	O	C	H
R	A	C	C	E	S	S	O	R	I	O	O
U	N	U	P	E	A	F	I	K	E	N	I
D	T	O	S	P	R	E	Z	Z	O	T	S
O	E	X	E	Z	E	T	T	O	L	O	O

Verificate le vostre risposte a pagina 191.
Siete soddisfatti?

Il Duomo, Milano

Per cominciare...

1 Quali di questi programmi televisivi guardate più spesso? Che cosa avete visto ultimamente?

2 Ascoltate una prima volta il dialogo. Di che cosa parlano Simone e Daniela?

3 Ascoltate di nuovo il dialogo e indicate se le affermazioni sono vere o false.

	V	F
1. All'inizio Simone sta guardando una partita di calcio.		
2. Daniela vuole vedere una trasmissione che affronta tematiche sociali.		
3. Simone spiega a Daniela perché non apprezza questi programmi.		
4. Daniela non sembra essere d'accordo con Simone.		
5. Alla fine Daniela si arrabbia con il conduttore del programma.		

In questa unità...

1. *...impariamo a chiedere un favore, qualcosa in prestito, a esprimere un parere, un dispiacere, un desiderio, a parlare di programmi televisivi, a dare indicazioni stradali;*
2. *...conosciamo i pronomi indiretti e l'imperativo diretto;*
3. *...troviamo informazioni sulla televisione e sulla stampa in Italia.*

A C'è una trasmissione su...

47 **1** **Leggete e ascoltate il testo e confermate le vostre risposte.**

Daniela: Che stai guardando?

Simone: Niente di speciale, sto facendo un po' di zapping, ma fra mezz'ora c'è la partita.

Daniela: Ah... perché c'è una trasmissione su Canale 5 che vorrei vedere, se non ti dispiace.

Simone: Vediamo... no, c'è ancora la pubblicità. Ma che programma è?

Daniela: Si chiama *Vi diamo ascolto* e il conduttore è molto in gamba. Ogni settimana affronta un problema sociale diverso. I telespettatori telefonano e gli raccontano le loro esperienze...

Simone: Uffa, Daniela! Secondo me, è meglio non guardare questi programmi. In realtà servono solamente a sfruttare le persone che chiamano senza offrirgli niente.

Daniela: Non è vero! La settimana scorsa mentre una madre di tre figli raccontava delle sue difficoltà economiche, un signore ha chiamato in diretta e le ha offerto un posto di lavoro. Se non è aiuto questo...

Simone: ...Beh, in questo caso... sì! Ma quello che cerco di farti capire è che programmi come questo mi sembrano poco intelligenti e sono un prodotto della sottocultura televisiva...

Daniela: Ah sì?! Va bene! Magari mi interessa la sottocultura. Le tue trasmissioni sportive, invece, ti danno una cultura di altissimo livello!!! Ma per favore!

2 **Leggete ad alta voce.**

Assumete i ruoli di Daniela e Simone e leggete il dialogo.

3 **Rispondete alle domande.**

1. Cosa succede in *Vi diamo ascolto*?
2. Cosa pensa Simone di questo programma?
3. Cosa dice Daniela per convincere Simone che il programma aiuta la gente?
4. Perché alla fine Daniela si arrabbia?
5. Chi dei due ha ragione, secondo voi? Scambiatevi opinioni.

4 **Il giorno dopo Simone parla con un suo amico, Eugenio. Completate il loro dialogo con i pronomi dati.**

~~mi~~ ~~mi~~ ~~ti~~ gli ti le gli

Eugenio: Bella la partita ieri, eh?

Simone: Ma quale partita! Ho litigato con mia moglie e... alla fine non l'ho vista!

Eugenio: Ma che cosa .... ha fatto?

Simone: Niente... voleva guardare un programma che le piace tanto, *Vi diamo ascolto*. E questo .... dà fastidio, questi talk show sono così stupidi!

Eugenio: Perché stupidi?!

Simone: Perché?! Ma scusa, c'è il conduttore che fa il filosofo e i telespettatori .... telefonano e .... parlano dei loro problemi. E Daniela non riesce a capire che queste trasmissioni non le offrono niente.

Eugenio: Scusa, ma non sono per niente d'accordo. Anch'io guardo spesso questa trasmissione e devi sapere che .... ha insegnato a riflettere sui problemi degli altri. E .... dirò anche una cosa che non sai: proprio la settimana scorsa c'era una donna, madre di tre figli, che aveva problemi economici. Ho telefonato e .... ho offerto un posto di lavoro!!!

5 **Scrivete un breve riassunto *(40-50 parole)* del dialogo introduttivo tra Daniela e Simone.**

....

....

....

....

....

6 Completate la tabella.

I pronomi indiretti

A me la musica classica piace molto.	➪	La musica classica .... piace molto.
A te interessa la politica?	➪	**Ti** interessa la politica?
Offro la mia collaborazione **a Carlo**.	➪	**Gli** offro la mia collaborazione.
Quando telefonerai **a Elena**?	➪	Quando **le** telefonerai?
Signore/a, **a Lei** piace sciare?	➪	Signore/a, **Le** piace sciare?
A noi questa storia sembra strana.	➪	Questa storia **ci** sembra strana.
Alessio non presterà mai dei soldi **a voi**.	➪	Alessio non .... presterà mai dei soldi.
Ai miei genitori non chiedo mai niente.	➪	Non **gli** chiedo mai niente.
Telefono spesso **a Rita e Tiziana**.	➪	**Gli** telefono spesso.

Nota: Offro il caffè **agli ospiti**. ➪ **Gli** offro il caffè. / Offro **loro** il caffè.

Riuscite a capire la differenza tra i pronomi indiretti e quelli diretti?

7 Osservando la tabella ricostruite le frasi secondo l'esempio.

Ho fatto una sorpresa a Chiara. ➪ *Le ho fatto una sorpresa.*

1. A Letizia e a me interessano i documentari.
2. Lorenzo telefonerà a Giovanna alle dieci.
3. Cosa regali ai tuoi amici?
4. A te purtroppo non scrivo molto spesso.
5. Chiederò a Beppe di aiutarmi.
6. Signora Berti, a Lei sembra logico tutto ciò?

1 - 4

8 Osservate queste frasi e, in particolare, i participi passati:

"...mi ha insegnato a riflettere...", "...le ha offerto un posto di lavoro..."

I pronomi nei tempi composti

Pronomi diretti		Pronomi indiretti
Mi ha vist**o**/**a** ieri.		**Mi** ha dett**o** la verità.
Ti ho convint**o**/**a**?		**Ti** ho spiegat**o** tutto.
L'ho conosciut**o** tempo fa.		**Gli** abbiamo regalat**o** un vaso cinese.
L'ho invitat**a** a casa mia.	***ma***	**Le** ho portat**o** fortuna.
Ci ha chiamat**o**/**i**/**e** Andrea.		**Ci** hanno prestat**o** la loro moto.
Vi abbiamo presentat**o**/**i**/**e** a tutti.		**Vi** ho telefonat**o** più volte.
Li ho portat**i** a casa.		**Gli** ha spedit**o** una lettera.
Le ho pres**e** in giro.		**Gli** ho offert**o** un po' di torta.

9 **Formulate le frasi sostituendo le parti sottolineate con i pronomi indiretti.**

1. Ho fatto vedere <u>a Nicola</u> le foto della Costiera Amalfitana!
2. Abbiamo raccontato <u>a Flavio e a Nadia</u> le nostre avventure.
3. Ho inviato un telegramma di congratulazioni <u>al dottor Marini</u>.
4. Ho consigliato <u>a mia sorella</u> di non frequentare quel ragazzo.
5. Il concorso darà <u>alle ragazze</u> l'opportunità di vincere una vacanza.

10 **Attenzione. Osservate la tabella e completate le frasi.**

Ti	è piaciut**o**	il regal**o** di Davide?
Non mi	è piaciut**a**	la sua cravatt**a**.
Non ci	sono piaciut**i**	i programm**i** di ieri.
Vi	sono piaciut**e**	le nostre fotografi**e**?

1. Mi .... molto il libro sulla storia della *Vespa*.
2. Non .... affatto la commedia che abbiamo visto.
3. .... i dolci che ti ho portato?
4. Ad essere sincero non .... alcune sue idee.

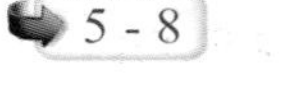

B Mi puoi dare una mano?

48 **1** **Ascoltate. Possiamo usare i pronomi indiretti per...**

...chiedere qualcosa in prestito

Ci presti il tuo dizionario?

Mi dai in prestito questa cassetta?

...esprimere parere

Quel che dice non *mi* sembra logico.

Ti pare giusto?

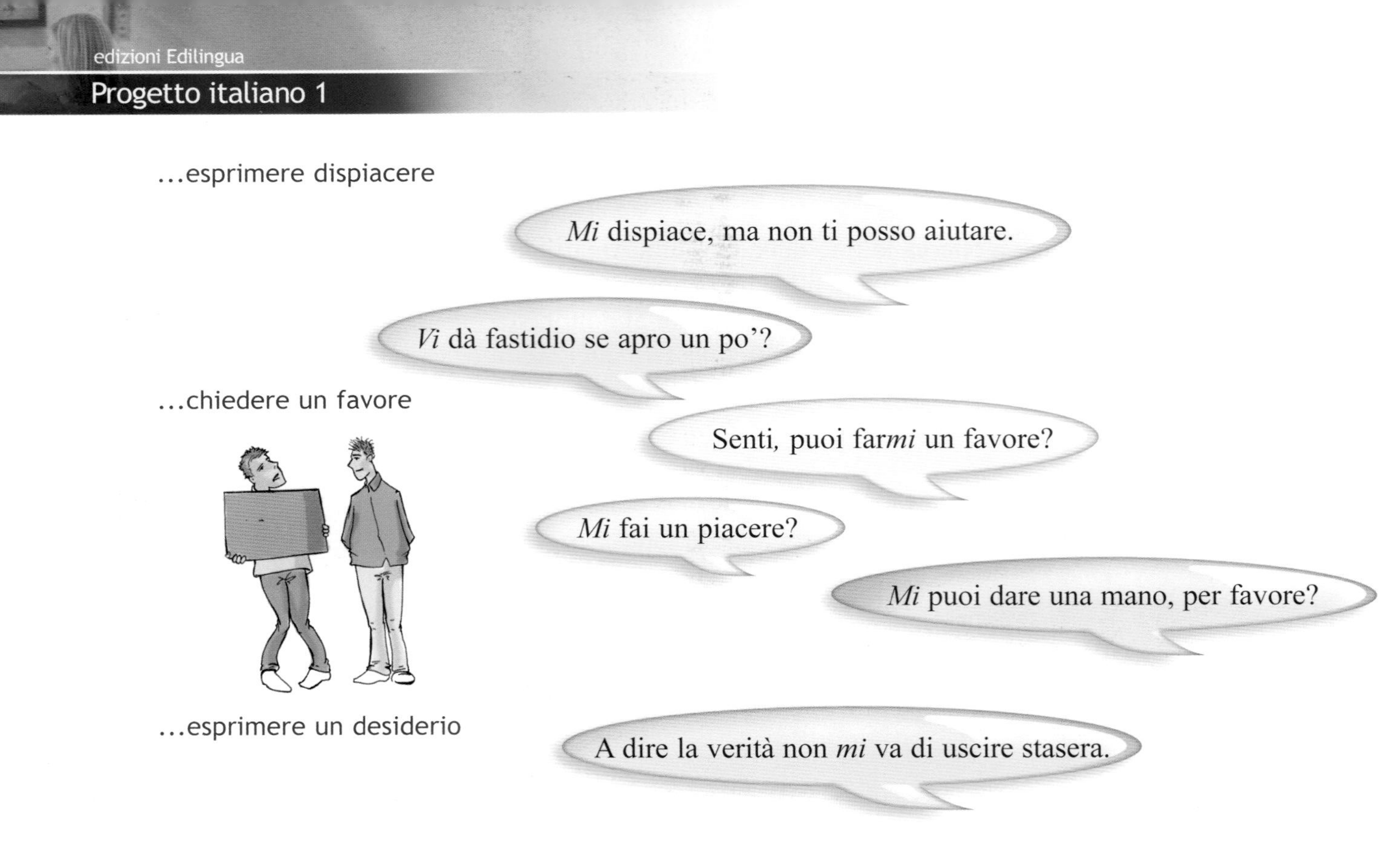

2 **Lavorate in coppia. Completate le frasi con le espressioni che abbiamo visto.**

1. Giovanna, ... se apro un po'?
2. Ragazzi, io prendo una spremuta, non .... un altro caffè.
3. .... questo cd di Giorgia? Non ce l'ho!
4. ...., ma non possiamo vederci nemmeno domani.
5. .... il comportamento di Luca: si lamenta continuamente!
6. Cerco di spostare questo armadio, ma non ci riesco; ....?

3

I pronomi indiretti con i verbi modali

Mi puoi dare una mano?	=	Puoi dar**mi** una mano?
Non **ti** devo spiegare nulla.	=	Non devo spiegar**ti** nulla.
Gli voglio regalare uno stereo.	=	Voglio regalar**gli** uno stereo.
Cosa **le** vuoi chiedere?	=	Cosa vuoi chieder**le**?
Direttore, **Le** posso parlare?	=	Direttore, posso parlar**Le**?
Ci devi consegnare le chiavi.	=	Devi consegnar**ci** le chiavi.
Vi volevo fare gli auguri!	=	Volevo far**vi** gli auguri!
Purtroppo, non **gli** posso dare di più.	=	Purtroppo, non posso dar**gli** di più.

Come tutti i pronomi, anche quelli indiretti si mettono o prima del verbo modale oppure alla fine dell'infinito, formando con esso una sola parola.

9 e 10

C Cos'hai visto ieri?

1 Leggete la conversazione telefonica tra Cesare e Cleopatra.

RADIOTELEVISIONE ROMANA I
domenica 14 marzo 44 a.C.

14.00 Telegiornale: notizie dal mondo
15.00 Cartoni animati: Asterix legionario
15.30 Documentario: Romolo e Remo
17.30 Calcio: Roma - Cartagine (finale di Champions League)
18.30 Il grande nonno (reality)
19.30 Passione (soap)
20.30 La ruota della fortuna (gioco)
21.30 Attualità: Cicerone intervista Marco Antonio
22.30 Film: La scoperta dell'America

Cesare: Ciao, amore! Come stai?
Cleopatra: Così e così, tu? Non ti sento bene.
Cesare: Sono questi cellulari che non ricevono ancora bene. E pensare che siamo quasi all'anno zero!
Cleopatra: Pazienza, Giulio! Allora, cosa hai fatto ieri?
Cesare: Niente, ho guardato la tv.
Cleopatra: Cos'hai visto?
Cesare: Mah, le solite cose: ho guardato una puntata di Asterix, anche se mi è antipatico.
Cleopatra: A me, invece, Asterix piace. È così carino... Poi?
Cesare: C'era un documentario che avevo già visto, ma soprattutto c'era la finale di Champions League tra Roma e Cartagine. Abbiamo vinto... Forza Romaaa!
Cleopatra: Forza Roma! Hmm... bello slogan! Poi, che altro c'era?
Cesare: Un reality e una soap opera che a me non piacciono affatto. *La ruota della fortuna*, però, non la perdo mai.
Cleopatra: Beh, anche a me piace.
Cesare: Poi ho visto un'intervista a Marco Antonio di Cicerone. Bravo ragazzo Antonio, lo devi conoscere!
Cleopatra: Lo sai che mi interessi solo tu, amore.
Cesare: Lo so! In tarda serata c'era anche un film di fantascienza: *La scoperta dell'America*. Ma che cos'è questa America?
Cleopatra: È un continente che, secondo la leggenda, è oltre il Mar Mediterraneo!
Cesare: Incredibile! Ma come le pensano queste cose? Insomma, la tv romana fa schifo!
Cleopatra: Forse qualcuno deve inventare quella digitale!

2 In base a quanto avete letto indicate le affermazioni veramente esistenti.

1. Cesare e Cleopatra si trovano a Roma.
2. Cleopatra e Cesare non sono d'accordo su Asterix.
3. Roma ha conquistato la Champions League.
4. Cesare è un fan dei reality.
5. A tutti e due piacciono i giochi televisivi.
6. Cesare non sa cos'è l'America.
7. Cesare pensa di inventare la tv satellitare.

3 Osservate la lista a fianco con le trasmissioni più seguite in una settimana di aprile, commentate le preferenze televisive degli italiani e confrontatele con quelle del vostro paese.

I PIÙ VISTI — *dal 24 al 30 aprile*

	Programma	Spettatori
1	**Calcio • Italia-Polonia** *Raiuno, mercoledì 30*	**14.910.000** *54,02% share*
2	**Automobilismo • G.P. di S. Marino** *Raidue, domenica 27*	**11.010.000** *57,43% share*
3	**Film • Il Codice da Vinci** *Canale 5, lunedì 28*	**8.910.000** *34,32% share*
4	**Telefilm • Carabinieri** *Canale 5, sabato 26*	**7.670.000** *27,29% share*
5	**Film • La tigre e la neve** *Raidue, venerdì 25*	**7.661.000** *30,22% share*
6	**Varietà • Striscia la notizia** *Canale 5, lunedì 28*	**7.587.000** *29,32% share*
7	**Talk show • Porta a porta** *Raiuno, martedì 29*	**6.468.000** *26,46% share*
8	**Varietà • Domenica in** *Raiuno, domenica 27*	**6.227.000** *29,86% share*
9	**Varietà • Quelli che... il calcio** *Raidue, domenica 27*	**6.136.000** *23,56% share*
10	**Varietà • Mai dire gol** *Italia 1, lunedì 28*	**6.015.000** *23,13% share*

4 Abbinate tra loro i sinonimi.

notiziario	rete
canale	varietà
show	pubblicità
spot	puntata
episodio	telegiornale

5 Lavorate in coppia. Completate le frasi con le parole date.

1. Per cambiare canale abbiamo bisogno del ....
2. Per ricevere programmi satellitari ci serve un' ....
3. Nel telegiornale ci sono anche .... culturali.
4. Mio padre ha comprato un .... da 50 pollici!
5. Ogni programma di varietà ha il suo ....

a. televisore
b. servizi
c. telecomando
d. conduttore
e. antenna parabolica

6 Osservate i programmi televisivi della pagina accanto. Con l'aiuto del vostro insegnante e cinque minuti per prepararvi, scegliete tra le attività che seguono quella che ritenete più interessante:

1. presentate ai vostri compagni le trasmissioni di un canale come farebbe una presentatrice (*alle... c'è..., andrà in onda...* ecc.);
2. indicate le trasmissioni che, per il nome o il genere, assomigliano ad altre del vostro paese; poi presentatele ai vostri compagni (*assomiglia a..., è uguale a...* ecc.);
3. scegliete alcuni programmi che vi sembrano interessanti e presentateli in breve ai vostri compagni (*su canale..., alle...* ecc.). Se volete, potete presentare i programmi delle 21.

RAI UNO

06.45 Sabato, domenica &... «La Tv che fa bene alla salute» Con Sonia Grey, Corrado Tedeschi
09.30 Giorni d'Europa
09.50 Settegiorni Parlamento
10.20 ApriRai *Rubrica*
10.40 Tuttobenessere Conduce Daniela Rosati
11.30 Occhio alla spesa Con Alessandro Di Pietro
12.00 La prova del cuoco *Gioco* Con Antonella Clerici
13.30 Telegiornale
14.00 Easy Driver *Rubrica* Conducono Ilaria Moscato, Marcellino Mariucci
14.30 Stella del Sud *Rubrica* «Destinazione: Kenya» Conduce Veronica Maya Russ
15.05 Il commissario Rex *Telefilm* «A tutto gas»
15.55 Italia che vai Con Guido Barlozzetti, Elisa Isoardi
17.00 Tg 1
17.10 Che tempo fa
17.15 A sua immagine *Rubrica* Con Andrea Sarubbi
17.45 Passaggio a Nord Ovest *Rubrica* Con Alberto Angela
18.50 L'Eredità *Quiz* Conduce Amadeus
20.00 Telegiornale
20.30 Rai Tg Sport *News*
20.35 Affari tuoi *Quiz*

21.00

Mission: Impossible 3
Di J. J. Abrams (2006)
Con Tom Cruise
All'agente segreto Ethan Hunt viene affidata una nuova missione: correre in aiuto di una collega scomparsa.

23.35 Tg 1
23.40 L'appuntamento *Rubrica*. Con Gigi Marzullo
00.10 Tg 1 - Notte
00.25 Estrazioni del Lotto
00.35 8 donne e un mistero Di François Ozon (Commedia, Francia 2002). Con Danielle Darrieux, Catherine Deneuve
02.20 Lo zio d'America *Serie Tv* Con C. De Sica

RAI DUE

06.45 Mattina in famiglia *Varietà*. Con Livia Azzariti, Antonio Lubrano All'interno: **Tg 2 Mattina; Tg 2 Mattina L.I.S.;**
10.30 Sulla via di Damasco Con Don Giovanni D'Ercole
11.00 TSP Regioni *Rubrica* Conduce Sonia Raule
11.25 *Sci alpino:* **Coppa del mondo** Discesa libera maschile (Diretta)
13.00 Tg 2 Giorno
13.30 *Sci alpino:* **Coppa del mondo** Discesa libera femminile (Diretta)
14.30 CD Live *Musicale* Conducono Alvin, Giorgia Palmas. Con Camilla Sjoberg
15.30 Quando Einstein ci mette lo zampino Di Neal Israel (Commedia, USA 2001). Con Mark Curry, Tia Iwasaki
17.10 Sereno Variabile Conducono Osvaldo Bevilacqua, Monica Rubele
18.00 Voilà *Rubrica* Conduce Francesca Romana Barberini
18.30 Tg 2 / Meteo 2
18.35 Ragazzi c'è Voyager!
19.00 Streghe *Telefilm*
19.50 I classici Disney
20.00 Tom & Jerry *Cartoni*
20.20 Il Lotto alle otto
20.30 Tg 2 20.30

21.00

Suonare Stella
Sit Com
Secondo appuntamento con le avventure del "Bed & Breakfast" gestito dalla giovane Tiffany Stella.

22.50 Sabato sprint *Rubrica* Conduce Enrico Varriale
22.55 Tg 2 Dossier Storie
00.40 Tg 2
00.50 Meteo 2
00.55 Alla Ribalta. Gianni Agus: "Spalla... a chi?" *Documenti*
01.55 Little Roma *Miniserie*. Con Ferruccio Amendola, Maria Fiore.

CANALE 5

06.00 Tg 5 Prima pagina
07.55 Traffico *News*
08.00 Tg 5 Mattina
08.30 Loggione *Musicale*
09.00 Scherzi del cuore Di Willard Carroll (Commedia, USA 1998). Con Sean Connery, Gena Rowlands
12.00 Grande Fratello *Real Tv*
13.00 Tg 5 / Meteo 5
13.40 Il mammo *Situation Comedy* «Maledetto Stanislavskj»
14.10 Amici *Show* Conduce Maria De Filippi
16.00 Amici libri *Rubrica* Conduce Aldo Busi
16.35 Corto 5 *Cortometraggio* «Una giornata da dimenticare 2»
16.40 Produzione reality *Show*
18.25 Grande Fratello *Real Tv*
18.55 Chi vuol essere milionario? *Quiz* Conduce Gerry Scotti. Regia di Giancarlo Giovalli
20.00 Tg 5 / Meteo 5
20.30 Striscia la notizia La voce della divergenza *Tg Satirico* Conducono Ezio Greggio, Michelle Hunziker. Con Melissa Satta, Thais Wiggers

21.00

Carabinieri *Serie TV*
Durante l'assenza di Cesari, la Sepi viene trasferita a Torino. Quando il magistrato torna alla Pieve rimane annichilito: Andrea gli ha lasciato solo una lettera!

23.50 Terra! *Rubrica*
00.50 Tg 5 Notte / Meteo 5
01.20 Striscia la notizia La voce della divergenza *Tg Satirico* Conducono Ezio Greggio, Michelle Hunziker
01.50 Marnie Di Alfred Hitchcock (Thriller, GB 1964). Con Sean Connery, Tippi Hedren All'interno: **Tgcom**
03.35 Grande Fratello

ITALIA 1

07.00 Archibald, il koala investigatore *Cartoni*
07.30 Arriva Paddington *Cartoni*
08.00 Che drago di un drago *Cartoni*
08.15 Angela anaconda *Cartoni*
08.45 Braccobaldo *Cartoni*
09.00 Gladiators Academy *Cartoni*
09.30 Ugo lupo *Cartoni*
09.40 Yu-gi-oh! *Cartoni*
10.10 Frog *Cartoni*
10.20 What a Mess Slump e Arale *Cartoni*
10.30 Che magnifiche spie! *Cartoni*
11.00 Tartarughe Ninja *Cartoni*
11.25 Shaman King *Cartoni*
11.55 Maledetti scarafaggi *Cartoni*
12.25 Studio Aperto / Meteo
13.00 Candid Camera *Show*
13.30 Top of the Pops
15.05 Scappo dalla città 2 Di Paul Weiland (Commedia, USA 2004). Con Billy Crystal, Daniel Stern
17.20 Voglia *Talk show*
18.30 Studio Aperto
—.— Meteo
19.00 *Wrestling:* **Smackdown!**

21.00

CSI: New York Telefilm
"La leggenda della miniera" Pete Riggs, un minatore addetto all'escavazione di tunnel, viene trovato morto in circostanze misteriose...

22.55 Guida al campionato *Rubrica* Conduce Alberto Brandi. Con Federica Fontana, Maurizio Mosca. Regia di Andrea Sanna
24.00 Campioni, il sogno *Real Tv*
00.05 Speciale Studio Aperto Live *Attualità*
01.05 Studio Sport *News*
01.35 Ciak Speciale *Rubrica*

D Cambia canale, per favore!

1 Lavorate in coppia. Abbinate le frasi ai prodotti pubblicizzati.

2 **Leggete con attenzione le battute.**

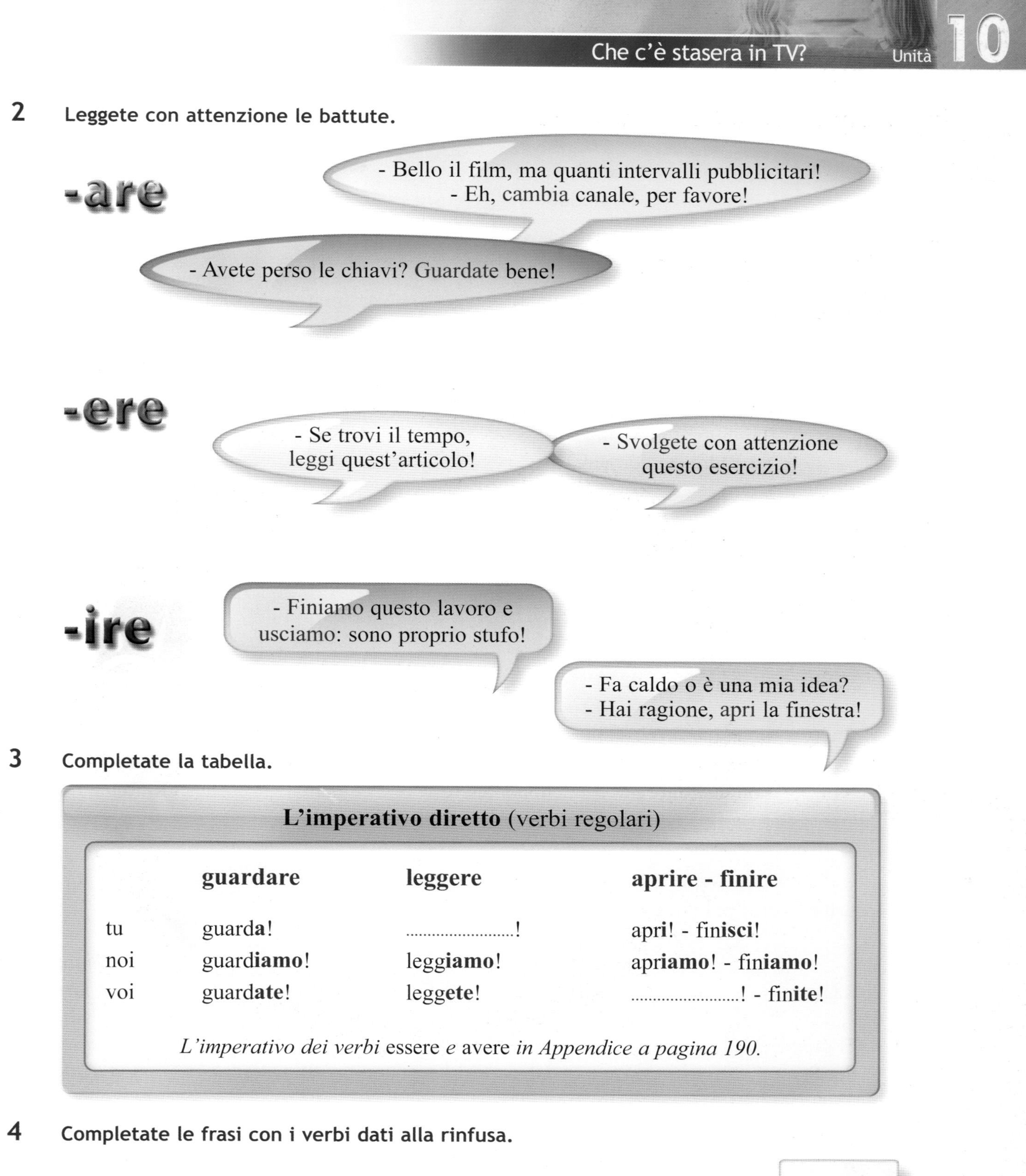

3 **Completate la tabella.**

L'imperativo diretto (verbi regolari)

	guardare	**leggere**	**aprire - finire**
tu	guard**a**!	........................!	apr**i**! - fin**isci**!
noi	guard**iamo**!	legg**iamo**!	apr**iamo**! - fin**iamo**!
voi	guard**ate**!	legg**ete**!	........................! - fin**ite**!

L'imperativo dei verbi essere *e* avere *in Appendice a pagina 190.*

4 **Completate le frasi con i verbi dati alla rinfusa.**

1. .... di più! Solo così realizzerai i tuoi sogni.
2. Ragazzi, avete già studiato abbastanza: ....!
3. .... come volete!
4. .... al concorso! Non hai niente da perdere.
5. Mario, ... la luce! Ieri l'hai dimenticata accesa!
6. Andremo al cinema stasera: .... con noi!

uscite
spegni
partecipa
lavora
venite
fate

5 Osservate le battute.

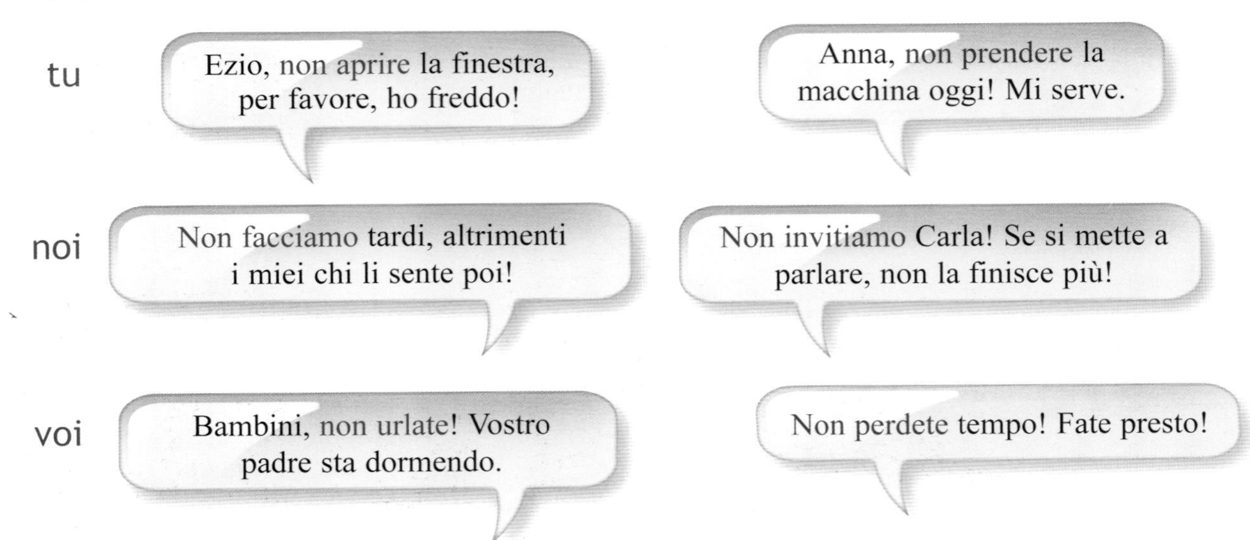

6 Completate la tabella.

L'imperativo negativo

	guardare	**leggere**	**aprire - finire**
tu	non guard**are**!	non ....!	non apr**ire**! - fin**ire**!
noi	non guard**iamo**!	non legg**iamo**!	non apr**iamo**! - fin**iamo**!
voi	non guard**ate**!	non legg**ete**!	non ....! - fin**ite**!

7 Inserite i verbi nelle frasi.

1. .... lo spiritoso con me!
2. Ragazzi, ... Caterina a quest'ora: sta dormendo.
3. .... così triste! Cerca di non pensarci!
4. Ti prego, ... la mia fiducia!
5. Per favore, ... dal centro! Facciamo un'altra strada!

non chiamate
non fare
non passiamo
non essere
non tradire

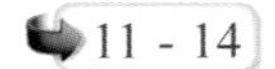
11 - 14

E Prendilo pure!

1 **Leggete le frasi: secondo voi, a che cosa si riferiscono?**

MAL DI GOLA? AFFRONTALO CON NEO FORMITROL STRONG

spizzico

USATEMI GRAZIE

USATEMI GRAZIE

NON SALITE SENZA BIGLIETTO
ACQUISTATELO PRIMA

SCRIVICI, TI RISPONDIAMO.

Coccolateli se non li volete perdere.

2 **Ascoltate i mini dialoghi e rispondete alle domande.**

a.
- Gianni, ti serve *Panorama*?
- No, prendilo pure, Alice! Cerchi qualcosa in particolare?
- Sì, ci deve essere un articolo sulle vacanze studio che mi interessa. Ah, eccolo: posso tenerlo?
- Certo, prendilo, ma non dimenticarlo a casa perché non l'ho letto ancora. Però guarda, se ti interessa solo questa pagina, strappala pure!

b.
- Pronto, Laura? Sono Parini, dalla redazione. Per favore, girami quell'e-mail con la statistica sulle vendite dei quotidiani.
- Non ce l'ho ancora. Ho chiamato il signor Baldi e mi ha detto che è molto impegnato.
- Allora, telefonagli di nuovo e digli che mi serve al più presto.

c.
- Dai, Lucio, svegliati! Sono già le otto!
- Ti prego, mamma! Lasciami dormire ancora un po'!
- Dai, alzati che devi andare a lezione!
- Macché lezione?! Oggi è domenica!

1. Perché Alice vuole il giornale di Gianni? Lui cosa le risponde?
2. Cosa chiede a Laura il signor Parini?
3. Perché Lucio non deve andare a lezione?

DOVE SI LEGGE

Paesi	Copie di quotidiani
Norvegia	619
Svezia	522
Finlandia	521
Germania	426
Svizzera	415
Austria	409
Gran Bretagna	362
Danimarca	340
Lussemburgo	333
Olanda	317
Irlanda	177
Belgio	173
Francia	157
Italia	115
Grecia	83
Spagna	81
Portogallo	39

Copie di quotidiani vendute per migliaio di abitanti secondo il rapporto World press trends per il 2006 curato dalla Fiej

la Repubblica

il mattino

CORRIERE DELLA SERA

3 **Completate la tabella.**

L'imperativo con i pronomi

Ti serve il giornale?	Tie**nilo** pure!
Vuoi l'intera pagina?	Strappa.........!
Mi volete parlare?	Parlate**mi** adesso!
Devi telefonare a Caterina?	Telefona**le** domattina!
Quante riviste compriamo?	Compriamo**ne** due!
Vedrai Guido?	Di**gli** che gli devo parlare!
Non ti sei preparato ancora?	Prepara......... subito!
È da un po' che non ci vediamo.	Vediamo**ci** stasera!

Nota: *Come vedete i pronomi seguono l'imperativo diretto e formano con esso una sola parola.*

L'imperativo negativo con i pronomi

Non tener**lo**!		**Non lo** tenere!
Non andar.........!		**Non ci** andare!
Non parlar**ne**!	*oppure*	**Non ne** parlare!
Non preoccupar**ti**!		**Non ti** preoccupare!
Non incontrate**vi**!		**Non** .... incontrate!

Nota: *Nell'imperativo negativo mettiamo i pronomi prima oppure dopo il verbo.*

4 **Rispondete secondo l'esempio.**

Vuoi prendere questa rivista?
a. *Prendila!* **b.** *Non prenderla!*

1. Volete parlare a Debora?
2. Vuoi mangiare il mio gelato?
3. Dobbiamo andare alla festa?
4. Volete comprare questi libri?
5. Dovete alzarvi presto?
6. Devi scrivere ai tuoi amici?

15 - 18

5 **Lavorate in coppia. Osservate queste frasi. Di quali verbi si tratta?**

1. Enrica, per favore dammi un pezzo di tiramisù!
2. Se vuoi proprio andare a vivere in Italia, vacci pure!
3. Angela, fa' presto! Siamo in ritardo!
4. Se vedi Elena, dille di chiamarmi!
5. Sergio, da' una mano a tuo padre per favore!
6. Carlo, per favore, facci una foto!

Osservate le forme in blu. Che cosa notate?

6 **Osservate la tabella. Potete pensare a una frase con una di queste forme verbali?**

Verbi irregolari all'imperativo diretto

andare	dare	dire	fare	stare
va'	*da'*	*di'*	*fa'*	*sta'*
andiamo	diamo	diciamo	facciamo	stiamo
andate	date	dite	fate	state

Nota: *Come abbiamo visto negli esempi di sopra quando un pronome si unisce alle forme* va', da', di', fa', sta' *la consonante iniziale raddoppia (*falle, dimmi *ecc.). Fa eccezione il pronome* gli *(*dagli la penna!*).*

19 e 20

F Gira a destra!

50 **1** **Ascoltate i mini dialoghi e indicate se e quante volte avete sentito ogni espressione.**

- *al primo incrocio*
- *gira a destra*
- *gira a sinistra*
- *va' sempre dritto*
- *è la quarta strada*
- *poi gira subito*

50 **2** **Ascoltate di nuovo e indicate a quale dialogo corrisponde ogni cartina.**

1 ☐ 2 ☐ 3 ☐

v. Meridiana

v. Meridiana

v. Meridiana

Role-play

3 Lavorate in coppia. Uno di voi è a Roma e chiede all'altro indicazioni per andare:

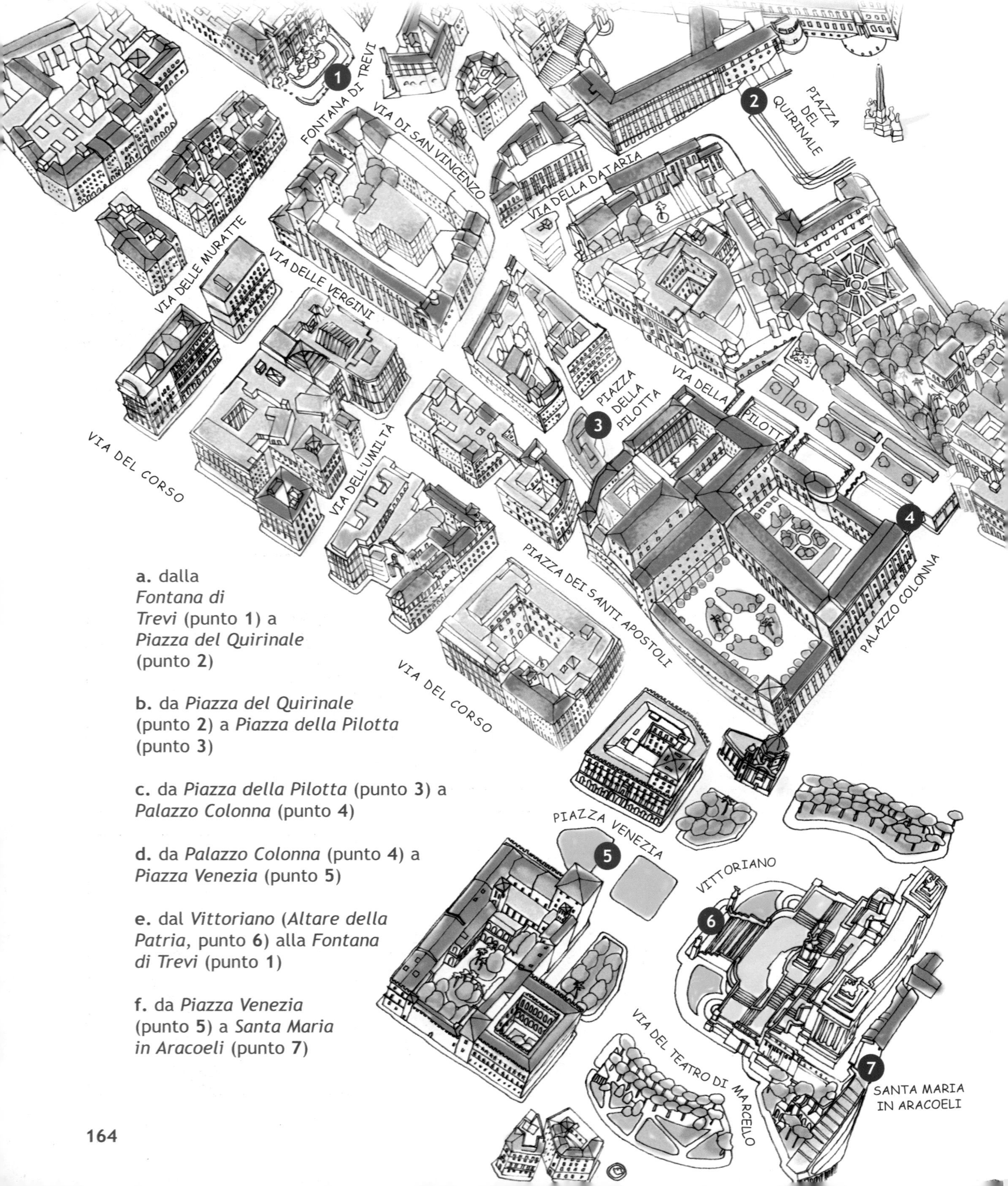

a. dalla *Fontana di Trevi* (punto **1**) a *Piazza del Quirinale* (punto **2**)

b. da *Piazza del Quirinale* (punto **2**) a *Piazza della Pilotta* (punto **3**)

c. da *Piazza della Pilotta* (punto **3**) a *Palazzo Colonna* (punto **4**)

d. da *Palazzo Colonna* (punto **4**) a *Piazza Venezia* (punto **5**)

e. dal *Vittoriano* (*Altare della Patria*, punto **6**) alla *Fontana di Trevi* (punto **1**)

f. da *Piazza Venezia* (punto **5**) a *Santa Maria in Aracoeli* (punto **7**)

G Abilità

1 Ascolto Quaderno degli esercizi

2 Parliamo

1. Quanto tempo passate davanti alla tv?
2. Parlate in breve delle vostre trasmissioni preferite: per quali motivi vi piacciono, di che si occupano ecc.
3. Quali sono, secondo voi, i pro e i contro della televisione? Parlatene.
4. Cosa pensate della televisione del vostro paese? Cosa bisogna cambiare, secondo voi?
5. Leggete il giornale o no? Perché? Scambiatevi opinioni. Preferite essere informati da un giornale, da un telegiornale o da Internet?
6. Leggete riviste e, se sì, di che tipo? Parlate in breve di quella che leggete più spesso: a chi si rivolge, quali sono le sue caratteristiche ecc.
7. Cosa pensate della pubblicità sui mass media (stampa, tv, radio, Internet)? Vi dà fastidio? Ha dei lati positivi?

3 Scriviamo. Osservate i disegni e scrivete una storia *(50-70 parole)*.

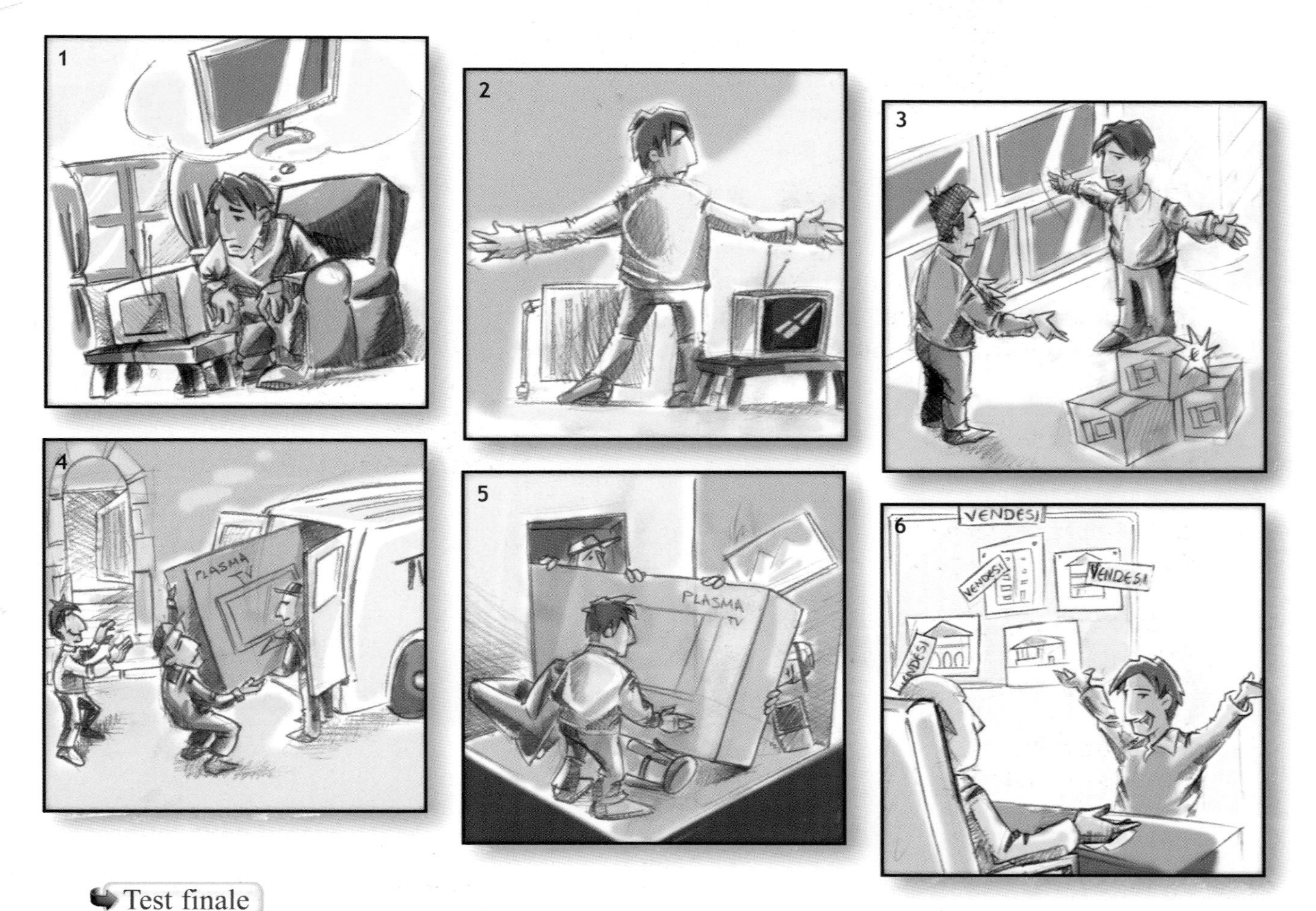

Test finale

La televisione in Italia

La televisione è uno dei passatempi preferiti degli italiani che la guardano in media più di tre ore al giorno. Molti sono i canali televisivi, che possiamo dividere in queste categorie:

I canali statali, ovvero la RAI, nata nel 1954. Statali perché sono sotto l'amministrazione* di un consiglio scelto dal governo. Questi canali sono finanziati da un canone di abbonamento*, che gli italiani pagano ogni anno, e dalla pubblicità. La RAI, oltre ai tre canali principali (*Raiuno*, *Raidue*, *Raitre*), dispone anche di alcuni canali satellitari come *RaiInternational*, *RaiEducational*, *RaiSport* ecc.

I canali privati e, soprattutto, le 3 reti Mediaset: *Canale 5*, *Italia 1* e *Rete 4*. Qua la pubblicità e i messaggi degli sponsor interrompono spesso i programmi. Un altro noto canale privato è *La7*.

La TV digitale, satellitare o terrestre: gli abbonati che hanno il decodificatore* possono scegliere tra decine di film, trasmissioni sportive e canali per tutti i gusti.

I canali locali che, oltre a vecchi film e telefilm, presentano le notizie locali e trasmissioni di televendita.

Infine, la diffusione in Italia di Internet ad alta velocità e delle nuove tecnologie cambia anche il modo di guardare la televisione.

1 Solo quattro di queste informazioni sono veramente presenti nel testo. Quali?

- 1. In Italia le vendite dei televisori sono in aumento.
- 2. La RAI è sotto il controllo indiretto dello Stato.
- 3. La tv statale si riceve gratuitamente.
- 4. I canali della RAI sono circa dieci.
- 5. I canali privati sono più di tre.
- 6. I canali privati dedicano abbastanza tempo alla pubblicità.
- 7. La tv digitale può soddisfare anche i telespettatori più esigenti.
- 8. Per ricevere i canali locali bisogna avere il decodificatore.

2 Ecco alcune trasmissioni molto amate dagli italiani.

Festival della canzone italiana

Concorso di Miss Italia

Varietà della domenica

Partite della nazionale

Gran Premio di Formula 1

Notate delle differenze tra la televisione italiana e quella del vostro paese?

La stampa italiana

Gli italiani non leggono molto il giornale rispetto agli altri europei. Malgrado ciò ci sono più di 60 testate*, alcune a diffusione nazionale e molte a carattere regionale.

Il Corriere della Sera e *la Repubblica* sono i quotidiani più venduti, con una media ognuno di 700.000 copie al giorno. Il primo è tra i più vecchi quotidiani italiani, fondato a Milano nel 1876. Il secondo è di un secolo più giovane, fondato a Roma nel 1976 da un gruppo di giornalisti del settimanale *L'Espresso*. *La Stampa*, di proprietà della famiglia Agnelli (FIAT), ha sede a Torino; *La Nazione* a Firenze.

Il Resto del Carlino di Bologna, *Il Messaggero* di Roma, *Il Mattino* di Napoli, *Il Giorno* e *Il Giornale* di Milano dedicano parecchie pagine alle notizie locali. Alcuni quotidiani sono organi ufficiali di partiti politici, come ad esempio *L'Unità* che è a diffusione nazionale. *Il Sole 24 ore*, infine, è uno dei più importanti quotidiani di economia a livello europeo, con molte migliaia di copie vendute.

Un fenomeno italiano sono i giornali sportivi: *La Gazzetta dello Sport* (il quotidiano più venduto!), *Il Corriere dello sport-Stadio* e *TuttoSport*.

Molti giornali presentano inserti* su vari argomenti (cultura, economia ecc.), molti sono in bianco e nero e quasi tutti esistono anche in forma elettronica in Internet.

Glossario: amministrazione: il dirigere un'azienda, un'attività; canone di abbonamento: somma di denaro che si paga per poter utilizzare un servizio; decodificatore: apparecchio che permette di ricevere programmi satellitari; testata: giornale; inserto: fascicolo inserito come supplemento in un giornale.

Indicate le affermazioni esatte.

1. Gli italiani
- ☐ a. leggono anche giornali europei
- ☐ b. non amano molto il giornale
- ☐ c. possono scegliere tra poche testate

2. *Il Corriere della sera* e *la Repubblica*
- ☐ a. sono di Milano
- ☐ b. hanno la stessa età
- ☐ c. sono i giornali più letti

3. *Il Messaggero*
- ☐ a. dà molta importanza alla cronaca locale
- ☐ b. è il quotidiano più venduto
- ☐ c. è organo ufficiale di un partito

Autovalutazione
Che cosa avete imparato nelle unità 9 e 10?

1. Sapete...? Abbinate le due colonne.

1. chiedere un favore
2. parlare di abbigliamento
3. dare indicazioni
4. informarvi sul prezzo
5. esprimere un desiderio

a. *Al primo incrocio gira a sinistra.*
b. *Quant'è?*
c. *Come mi sta questa maglietta?*
d. *Stasera mi va di fare tardi.*
e. *Mi fai un piacere? Mi porti un po' d'acqua?*

2. Abbinate le frasi. Nella colonna a destra c'è una frase in più!

1. Scusi, per il Duomo?
2. Perché non sei d'accordo?
3. Come Le sta il maglione, signora?
4. Allora, mi fai questo favore?
5. Va bene così? Che ne dici?

a. Che taglia porta?
b. Mi dispiace, ma non ti posso aiutare.
c. Va' dritto per cento metri e poi gira a destra.
d. Perché quello che dici non mi pare giusto.
e. Largo, mi dà una taglia più piccola?
f. Ok, facciamo come dici tu.

3. Completate.

1. Tre canali televisivi italiani: ....
2. Tre giornali italiani: ....
3. Tre tipi di trasmissioni: ....
4. La forma negativa di *mangialo*: ....
5. Il plurale di *mi ha detto tutto*: ....

4. Scegliete le parole giuste.

1. La prima notizia del telecomando/canale/telegiornale/documentario era un incidente stradale.
2. Hai visto l'ultima pubblicità/puntata/trasmissione/partita della tua soap opera preferita?
3. Al massimo leggo una notizia/stampa/testata/rivista alla settimana.
4. Vorrei comprare una calza/camicetta/cravatta/stoffa per mia madre.

Verificate le vostre risposte a pagina 191. Siete soddisfatti?

Campo dei miracoli,
Pisa

Un concerto

Per cominciare...

1 Quali cantanti italiani conoscete tra quelli elencati nella locandina del concerto?

2 Siete mai stati a un concerto? Parlatene.

3 Ascoltate le prime battute del dialogo ("Senti,... Quasi!"). Potete immaginare il seguito?

4 Ascoltate l'intero dialogo. Verificate le vostre ipotesi e indicate le tre informazioni esatte. Se necessario ascoltate di nuovo.

- [ ] 1. L'annuncio di Simone è una sorpresa per Angela.
- [ ] 2. Simone dice che ha già comprato dei biglietti.
- [ ] 3. Angela non ha tanta voglia di andare a questo concerto.
- [ ] 4. Angela vorrebbe portare al concerto anche una sua amica.
- [ ] 5. Simone dice che non sarà facile trovare un altro biglietto.
- [ ] 6. Alla fine Angela dice che preferirebbe non andare al concerto.

In questa unità...

1. ...impariamo a esprimere un desiderio, un'opinione, il futuro nel passato, a chiedere qualcosa in modo gentile, a dare consigli, a riferire un'opinione altrui o una notizia, a formulare un'ipotesi;
2. ...conosciamo il condizionale semplice e il condizionale composto;
3. ...troviamo informazioni e curiosità sulla musica italiana.

A Ti piacerebbe andare al concerto?

52 **1** **Leggete e ascoltate il testo. Confermate le vostre risposte all'attività precedente.**

Simone: Senti, ti piacerebbe andare al concerto domenica prossima?
Angela: Al "Concerto delle stelle"?! Mi stai prendendo in giro?
Simone: No, dico sul serio. Ci vorresti essere?
Angela: Certo che ci vorrei essere! Non mi dire che hai trovato i biglietti!
Simone: Quasi!
Angela: Come sarebbe a dire "quasi"? Ce li hai o non ce li hai? Perché so che sono andati a ruba.
Simone: Allora, ti spiego: un mio amico, Carlo, lavora per l'agenzia che organizza il concerto e mi ha promesso due biglietti.
Angela: Che bello! Senti, potremmo trovarne uno anche per Silvia? Va matta per Vasco Rossi ma, purtroppo, non è riuscita a trovare un biglietto.
Simone: No, questo sarebbe troppo! Non gli posso chiedere un altro biglietto! Anche se è un amico, mi manderebbe a quel paese! E avrebbe pure ragione!
Angela: Puoi sempre provare, no?
Simone: Sì, potrei provare, ma secondo me non ha senso!
Angela: Io, invece, penso che tu e il tuo amico potreste fare qualcosa.
Simone: Cioè?
Angela: Che ne so? ...Potresti fare un regalo a qualcuno, per esempio.
Simone: Ma che dici?! Un regalo?! Sai quanto costeranno i nostri due biglietti?!
Angela: ...Hai ragione, tesoro. ...Senti, ti dispiacerebbe non venire al concerto?!!

2 Leggete e sottolineate.

Assumete i ruoli di Simone e Angela e leggete il dialogo. Poi cercate e sottolineate nel testo verbi come "piacerebbe", "vorresti" ecc.

3 Rispondete alle domande.

1. Perché Angela sembra sorpresa all'inizio?
2. Dove ha trovato i biglietti Simone?
3. Perché Simone reagisce male quando Angela gli chiede un terzo biglietto?
4. Secondo voi, che cosa ha voluto dire Angela nell'ultima frase? Che cosa ha in mente?

4 Il giorno dopo Angela parla con la sua amica Silvia. Completate il loro dialogo con i verbi dati.

Angela: Silvia, ... andare al "Concerto delle stelle", vero?
Silvia: Lo sai benissimo che ci .... andare. Perché?
Angela: Simone ha trovato due biglietti grazie ad un suo amico.
Silvia: Davvero? E non .... trovarne un altro? Mi .... così tanto esserci.
Angela: Purtroppo questo è un po' difficile. Ad essere sincera abbiamo già litigato perché io .... andare al concerto senza lui.
Silvia: Perché?
Angela: Eh, sai com'è Simone, troppo serio. Mi .... più piacere andarci con te.
Silvia: .... bello poterci andare tutti e tre insieme.
Angela: Ormai trovare un altro biglietto è quasi impossibile.
Silvia: Eh, hai ragione. Dai, andateci voi due!
Angela: Non so... forse farò un altro tentativo per convincerlo...

potrebbe
piacerebbe
vorresti
farebbe
vorrei
preferirei
sarebbe

5 Scrivete un breve riassunto *(40-50 parole)* del dialogo introduttivo tra Angela e Simone.

....
....
....
....
....
....

6 **Provate a completare la tabella.**

Il condizionale semplice/presente

	parlare	**leggere**	**preferire**
io	parl**erei**	legg**erei**	....
tu	....	legg**eresti**	prefer**iresti**
lui, lei, Lei	parl**erebbe**	....	prefer**irebbe**
noi	parl**eremmo**	legg**eremmo**	prefer**iremmo**
voi	parl**ereste**	legg**ereste**	prefer**ireste**
loro	parl**erebbero**	legg**erebbero**	prefer**irebbero**

Secondo voi, che cosa esprime il condizionale semplice? Quando lo usiamo?

7 **Costruite delle frasi usando il condizionale.**

1. Guardate che gelato! Noi ne *(mangiare)* volentieri uno!
2. Al posto tuo *(io-accettare)* volentieri la sua proposta.
3. Secondo me, *(tu-fare)* bene a non parlargli più.
4. Signorina, *(uscire)* con me una di queste sere?
5. Voi chi altro *(invitare)* alla festa?

1 e 2

8 **Abbinate, come nell'esempio, le forme dell'infinito, del futuro e del condizionale.**

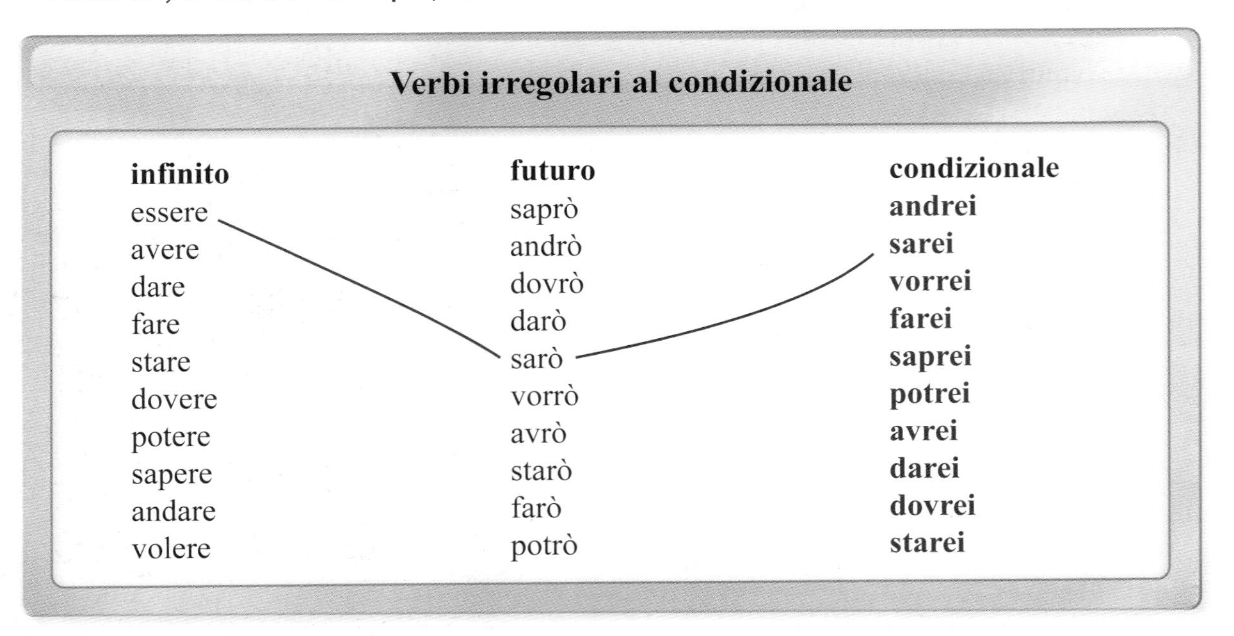

Verbi irregolari al condizionale

infinito	**futuro**	**condizionale**
essere	saprò	**andrei**
avere	andrò	**sarei**
dare	dovrò	**vorrei**
fare	darò	**farei**
stare	sarò	**saprei**
dovere	vorrò	**potrei**
potere	avrò	**avrei**
sapere	starò	**darei**
andare	farò	**dovrei**
volere	potrò	**starei**

Come vedete, i verbi che presentano irregolarità al futuro le presentano anche al condizionale. La tabella completa dei verbi irregolari è in Appendice a pagina 190.

9 **Osservando la tabella precedente costruite delle frasi.**

1. Ragazzi, *(sapere)* dirmi come si va a Piazza della Signoria?
2. *(tu-andare)* a vivere per sempre in Italia?
3. Il famoso gruppo americano *(dovere)* arrivare in Italia domani.
4. Ad essere sinceri *(volere)* andare anche noi al concerto.
5. Giulia *(fare)* volentieri un viaggio in Puglia, le piace molto.

3 e 4

B Usiamo il condizionale per...

1a **...esprimere un desiderio realizzabile. Leggete il dialogo e rispondete alle domande.**

Gianni: Il tempo oggi è bellissimo! Che si fa?

Lisa: Io avrei voglia di fare un giro in centro, dare un'occhiata alle vetrine... È da un po' che non faccio spese.

Marta: Io preferirei fare una gita. Vorrei andare ad Assisi, non ci sono mai stata.

Debora: A me piacerebbe andare al mare. Fa così caldo... Che ne dite?

Gianni: Io veramente resterei volentieri in città. Con questo bel tempo saranno tutti sull'autostrada. Potremmo andare a mangiare in qualche bel posto...

1. Chi dei ragazzi vorrebbe andare al mare? Perché?
2. Chi preferirebbe visitare Assisi? Per quale motivo?
3. Chi avrebbe voglia di fare un giro per i negozi? Come mai?
4. Chi resterebbe volentieri in città per paura del traffico?

Esprimere un desiderio
(realizzabile)

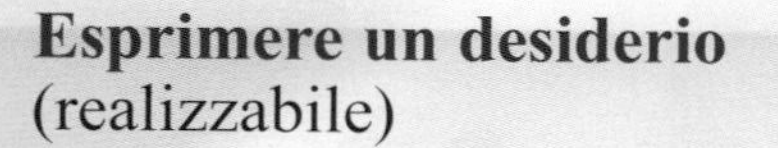

vorrei andare fuori...
mi piacerebbe rimanere...
preferirei uscire...
andrei (volentieri) a...
avrei voglia di visitare...
sarebbe bello organizzare...

1b **Lavorate in coppia. Realizzate dei dialoghi esprimendo ognuno i propri desideri nelle seguenti circostanze:**

1. C'è un concerto importante in una città vicino alla vostra.
2. Avete molta fame.
3. In città fa un caldo tremendo.
4. Presto cominceranno le vacanze estive.
5. Dovete andare a lezione, ma siete troppo stanchi.

5 e 6

2a **...chiedere qualcosa in modo gentile.**

Senti, potresti chiudere la porta, per favore?

Mi presteresti per un attimo la tua biro?

Potreste venirci a prendere verso le dieci e mezzo?

2b **Nelle situazioni che seguono fate delle domande in modo gentile:**

1. Chiedi ad un passante di indicarti la strada.
2. Sei in treno e la persona accanto a te parla ad alta voce al cellulare.
3. Sei in autobus e chiedi ad un passeggero di premere il pulsante per prenotare la fermata.
4. Sei al supermercato e i sacchetti che porti sono troppo pesanti. Chiedi aiuto a un amico che è con te.
5. Sei fuori con degli amici, ma non ti senti bene. Chiedi a uno di loro di guidare la tua macchina.

Chiedere qualcosa gentilmente

Potresti...?	*Ti / Le dispiacerebbe...?*
Mi daresti...?	*Potrebbe..., per piacere?*

7

3a **...dare consigli. Leggete il dialogo e indicate se le affermazioni che seguono sono vere o false.**

Vera: Laura, ti vedo un po' giù. Che c'è?
Laura: Fra un paio di mesi saremo in estate e forse dovrei perdere qualche chilo.
Vera: Secondo me, stai bene così. Ma se proprio vuoi dimagrire, perché non cominci una dieta?
Laura: Io sto sempre a dieta e senza risultati.
Vera: Io al posto tuo mi iscriverei ad una palestra. Un po' di aerobica ti aiuterebbe.
Laura: Purtroppo non posso. Da quando sono caduta sciando il ginocchio mi fa male.
Vera: Forse dovresti andare da un ortopedico. Oppure potresti fare nuoto, così non avresti problemi col ginocchio.
Laura: Hai ragione, è una buona idea.

	V	F
1. Secondo Vera, Laura dovrebbe perdere molti chili.		
2. Laura è già a dieta.		
3. Non va in palestra perché non le piace.		
4. Laura trova interessante l'idea del nuoto.		
5. Alla fine Vera le consiglia di rivolgersi a un dietologo.		

3b **Lavorate in coppia. Con l'aiuto delle foto e delle espressioni viste, datevi dei consigli in queste situazioni dove uno di voi:**

1. vuole cambiare lavoro
2. vuole imparare una lingua straniera
3. non frequenta regolarmente l'università
4. non sa quale macchina comprare
5. non sa cosa regalare a due amici che si sposano

Dare consigli

Potresti...	*Io, al posto tuo... andrei...*
Dovresti...	*Faresti bene a...*
Perché non...?	*Un'idea sarebbe...*

8

4a **...esprimere un'opinione personale / fare un'ipotesi.**

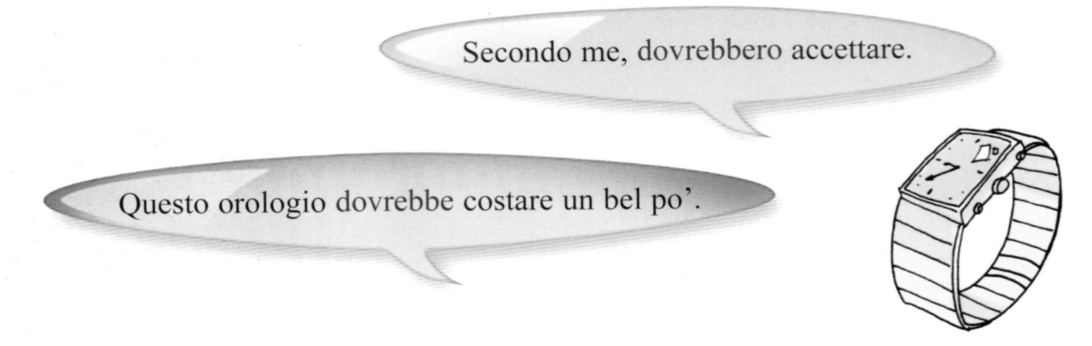

...riferire un'opinione o un'ipotesi altrui / una notizia non confermata.

4b **Completate le frasi con i verbi dati.**

dovrebbero essere, coinvolgerebbe,
dovrebbe cominciare, dovrebbe avere, tornerebbe

1. Mario e Chiara .... già in montagna.
2. Secondo *La Stampa*, lo scandalo .... anche due ministri.
3. Il Presidente della Repubblica .... stasera.
4. Orlando .... già la patente.
5. Il film .... da un momento all'altro.

9

C Ci sarei andato, ma...

53 **1** **Ricordate il dialogo tra Angela e Simone all'inizio dell'unità? Adesso, a libro chiuso, ascoltate quello tra Simone e un suo amico e indicate se le affermazioni sono esatte.**

1. Simone è andato al concerto.
2. È riuscito a trovare un terzo biglietto.
3. Angela ha detto che sarebbe andata al concerto insieme a Silvia.
4. Simone l'avrebbe chiamata, ma è un po' orgoglioso.
5. Sarebbe andato al concerto insieme a Dario.
6. Alla fine ha deciso di regalare i biglietti ad Angela.

53 **2** **Ascoltate di nuovo e verificate le vostre risposte.**

Dario: Alla fine sei andato al concerto di ieri o no?
Simone: Io ci sarei andato, ma...
Dario: Cos'è successo?
Simone: Allora, ti spiego: avevo trovato due biglietti, ci saremmo andati Angela ed io. A lei, però, non andava di venire senza la sua amica.
Dario: Cioè ha detto che non sarebbe venuta al concerto con te?!
Simone: No, peggio ancora: mi ha detto che avrebbe preferito andarci con Silvia!
Dario: E l'ha fatto?
Simone: Non so, ha detto che ci sarebbero andate insieme. Poi non ci siamo più sentiti.
Dario: E adesso che fai? Non vuoi risolvere questa situazione? Rompere per un concerto mi sembra esagerato.
Simone: Io avrei voluto chiamarla. Ma, d'altra parte, mi sento anche offeso.
Dario: Beh, hai ragione. Ma spiegami una cosa: i biglietti che fine hanno fatto?
Simone: Io li avrei tenuti e avrei invitato te. Ma quando Angela mi ha annunciato che sarebbe andata al concerto con Silvia, per la rabbia, li ho dimenticati a casa sua!

Il condizionale composto/passato

avrei **avresti** **avrebbe** **avremmo** **avreste** **avrebbero**	**visto**	il film ma era già cominciato

sarei **saresti** **sarebbe**	**uscito/a**	ma è cominciato a piovere
saremmo **sareste** **sarebbero**	**usciti/e**	

3 **Rispondete alle domande secondo l'esempio.**

Perché non hai mangiato l'insalata? *(non avevo fame)*
➪ *L'avrei mangiata, ma non avevo fame.*

1. Perché non siete andati allo stadio? *(non avevamo il biglietto)*
2. Come mai non hai invitato Paola? *(non l'ho vista)*
3. Perché non sei arrivato prima? *(c'era tanto traffico)*
4. Ragazzi, come mai non avete superato l'esame? *(siamo stati sfortunati)*
5. Stefania, perché non ti sei svegliata alle sette? *(non è suonata la sveglia)*

10

4 **Esprimere un desiderio non realizzato nel passato.**

Ieri sera sarei uscita con voi, ma poi mi sono sentita male.

Avrei voluto bere un altro caffè, ma ero già in ritardo.

L'avrebbe sposata anche subito, ma non aveva ancora un lavoro.

5 **Composto o semplice? Completate le frasi.**

1. *(Io-andare)* al mare, ma il cielo era nuvoloso.
2. *(Io-andare)* al mare oggi: fa troppo caldo!
3. *(Voi-venire)* con noi a teatro?
4. *(Voi-venire)* con noi a teatro la settimana scorsa?
5. *(Noi-mangiare)* volentieri un altro pezzo di tiramisù.
6. *(Noi-mangiare)* un terzo pezzo, ma era già finito.

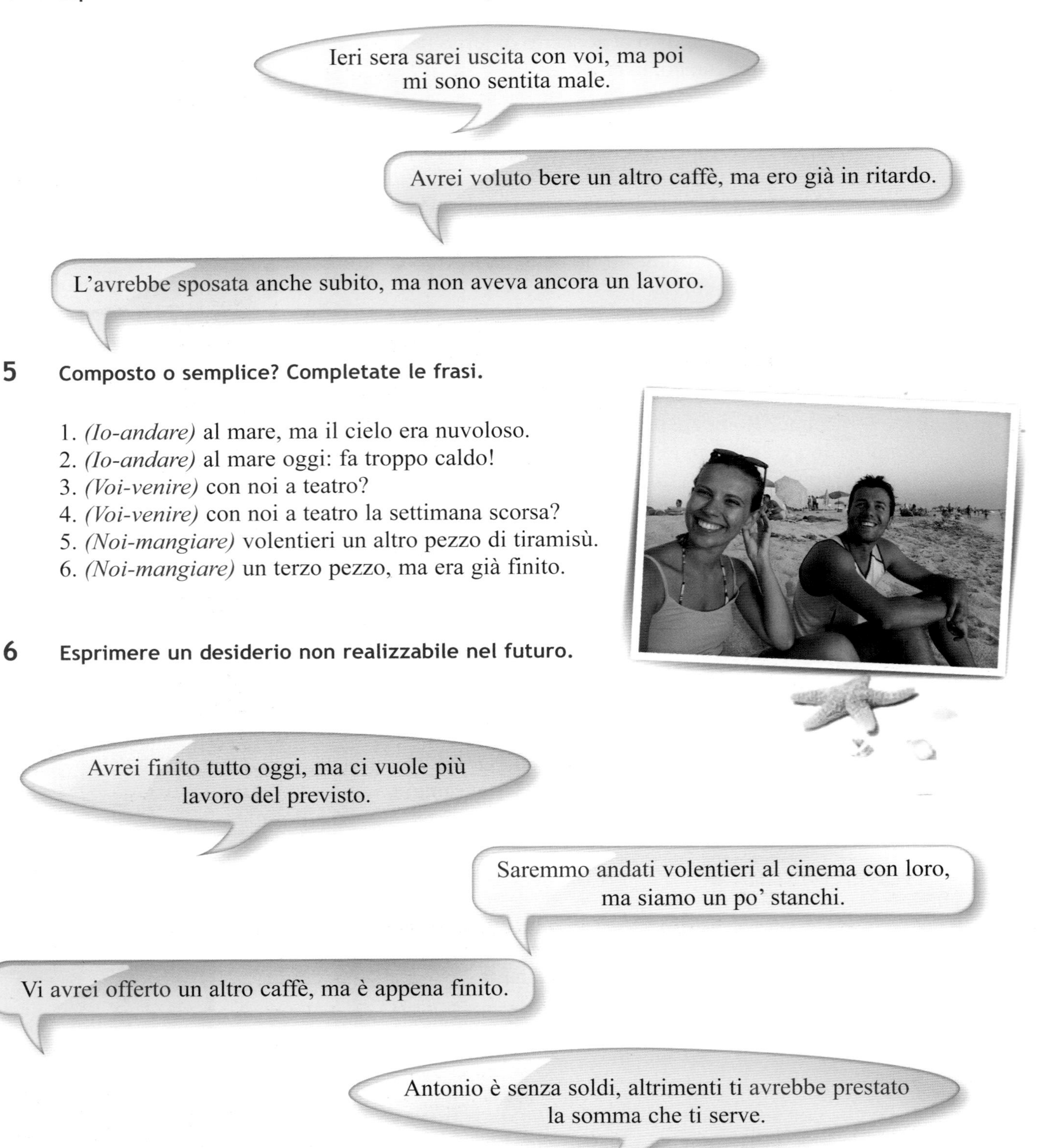

6 **Esprimere un desiderio non realizzabile nel futuro.**

Avrei finito tutto oggi, ma ci vuole più lavoro del previsto.

Saremmo andati volentieri al cinema con loro, ma siamo un po' stanchi.

Vi avrei offerto un altro caffè, ma è appena finito.

Antonio è senza soldi, altrimenti ti avrebbe prestato la somma che ti serve.

Come vedete in queste frasi il condizionale composto si usa anche per un desiderio futuro quando sappiamo già che non può essere realizzato.

7 **Semplice o composto? Completate le frasi secondo il loro significato.**

1. Fra tre settimane *(io-partire)* per gli Stati Uniti, ma dovrò dare degli esami.
2. In estate *(io-andare)* in vacanza a Capri: è un'isola meravigliosa.
3. Mia nonna è ancora in ospedale, altrimenti noi *(sposarsi)* il mese prossimo.
4. Noi *(sposarsi)* anche domani!
5. Marcello ti *(chiamare)* stasera per invitarti, ma è un po' timido.
6. Marcello ti *(chiamare)* anche subito.

11 - 15

8 **Esprimete i vostri desideri in queste situazioni. Usate il condizionale semplice o composto.**

1. I tuoi amici partono per un fine settimana al mare, ma tu hai da fare.

2. Il tuo insegnante vi ha parlato di una vacanza studio in Italia.

3. Alcuni amici ti invitano a una festa. Tu però hai già un appuntamento.

4. L'ultimo cd di uno dei tuoi cantanti preferiti dovrebbe uscire la settimana prossima.

5. Una settimana fa alla tv c'era un film italiano che volevi vedere.

6. Vorresti seguire un corso post-laurea negli Stati Uniti, ma il costo è troppo alto.

D Sarei passato...

1 **Lavorate in coppia. Mettete in ordine il dialogo e rispondete alle domande.**

1 *Antonella:* Dove sei stato ieri? Perché non sei passato a prendermi?
Roberto: Ti avevo detto che probabilmente sarei passato, non ero proprio sicuro.
Roberto: Scusami, sono uscito e ho dimenticato il cellulare a casa.
Antonella: Ma non avevi detto che ci saremmo andati insieme?!
Roberto: E poi ero sicuro che saresti andata alla festa di Elena.
Antonella: Speravo almeno che avresti telefonato.
Antonella: Bravo! Ti ho chiamato un sacco di volte!

1. Perché Roberto non è passato da Antonella? Cosa le aveva detto?
2. Perché non l'ha chiamata?
3. Antonella è andata o no alla festa e perché?

Esprimere il futuro nel passato

1 OGGI (FUTURO)		2 IERI (PASSATO)
Sergio **dice** che **passerà**.	➪	Sergio **ha detto** che **sarebbe passato**.
Spero che mi **chiamerai**.	➪	**Speravo** che mi **avresti chiamato**.
Sono sicuro che ci **andrai**.	➪	**Ero sicuro** che ci **saresti andato**.

2 **Trasformate le frasi secondo il modello.**

Sai cosa farai? ➪
Sapevi cosa avresti fatto?

1. Spero che alla festa rivedrò tutti i vecchi amici.
2. Siamo certi che le vacanze saranno bellissime.
3. Sei sicura che riuscirai a fare tutto da sola?
4. Sperano che l'esame finale sarà facile.
5. Io non so ancora cosa farò da grande.

16 - 19

3 **Riassumiamo:**

Condizionale semplice e composto: differenze

Condizionale semplice	Condizionale composto
Esprimere un desiderio realizzabile: *Mangerei volentieri un altro po'.*	**Esprimere un desiderio non realizzato:** *Sarei arrivato in tempo, ma ho perso il treno.*
Chiedere gentilmente: *Mi presteresti il tuo libro?*	**Esprimere un desiderio non realizzabile:** *Avrei comprato il regalo, ma è troppo caro.*
Esprimere opinione / ipotesi / notizia: *Non dovrebbe essere molto difficile.*	**Azione futura rispetto ad un'altra passata:** *Ha detto che sarebbe venuto.*
Dare consigli (realizzabili): *Dovresti spendere di meno!*	**Dare consigli (non più realizzabili):** *Avresti dovuto spendere di meno!*

20 - 22

E Vocabolario e abilità

1 **Abbinate le parole alle immagini.**

microfono batteria cuffie chitarra tastiera

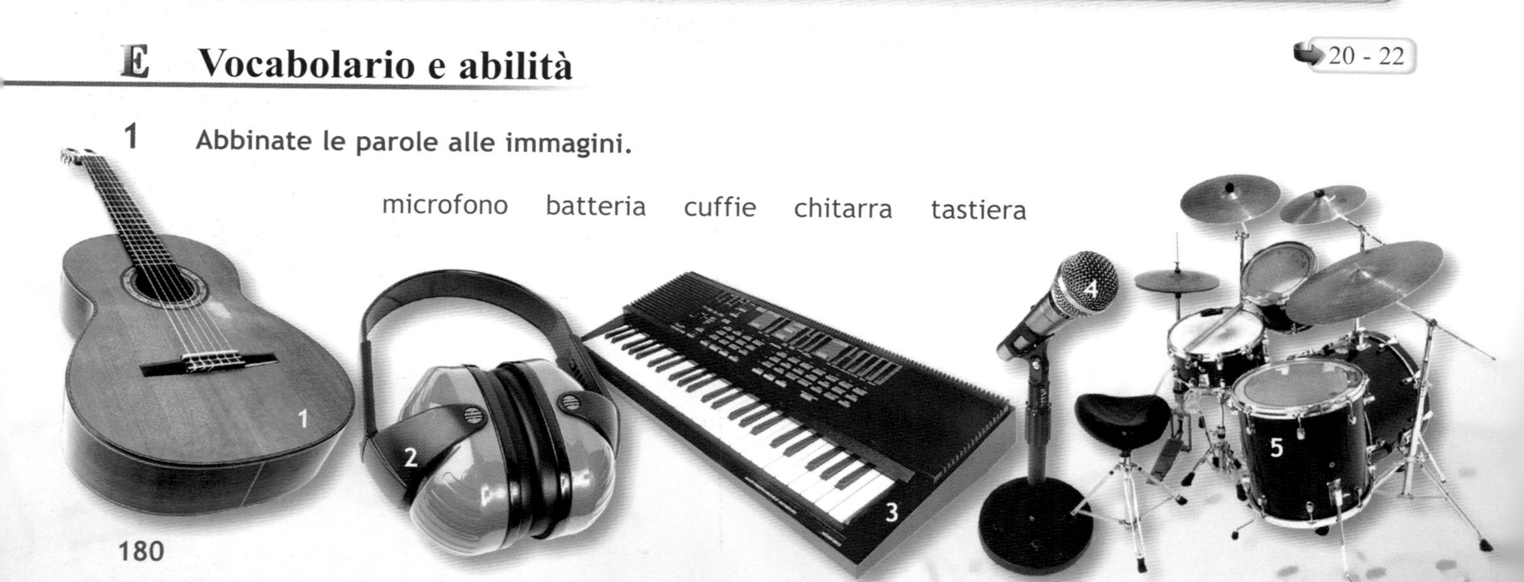

2 Lavorate in coppia. Completate le frasi con le parole date.

1. Tiziano Ferro è un .... italiano famoso anche all'estero.
2. Quest'anno Andrea Bocelli farà una .... mondiale.
3. Eros Ramazzotti compone anche i .... delle sue canzoni.
4. Nei suoi concerti Riccardo Cocciante .... il pianoforte.
5. Con *Volare*, Domenico Modugno ha vinto il .... di Sanremo nel 1958.
6. Lucio Dalla è l'.................................... della bellissima canzone *Caruso*, interpretata anche dal grande Luciano Pavarotti.

festival
testi
suona
autore
tournée
cantante

3 Ascolto Quaderno degli esercizi

54

4 Parliamo

1. Quali generi musicali ti piacciono? Quali sono i tuoi cantanti preferiti? Fate una piccola indagine per individuare le preferenze musicali dell'intera classe.
2. Quando e in quali occasioni ascolti musica?
3. Che importanza ha per te la musica?
4. Racconta di un concerto che hai ascoltato dal vivo o in TV: chi erano gli artisti, dove si è tenuto, ti è piaciuto? Perché?
5. Quanto è diffusa la musica italiana nel tuo paese? Quali sono gli artisti più noti? Conosci canzoni italiane moderne o del passato?

Role-play

5 Situazione

A e ***B*** vogliono fare un regalo ad un amico comune che ama molto la cultura italiana in genere. ***A*** propone di regalargli uno tra i numeri 1, 2 e 3, mentre ***B*** uno tra i numeri 4, 5 e 6. Immaginate il dialogo dove ognuno spiega le sue preferenze e concludete scegliendo il regalo.

6 Scriviamo

Scrivi un'e-mail a un'amica italiana per raccontare il concerto di un cantante o di un gruppo che piace tanto anche a lei e al quale hai assistito la sera precedente. *(100-120 parole)*

Test finale

La musica italiana moderna

La musica lirica (di Verdi, Rossini e Puccini) è nata in Italia e la canzone napoletana (come *'O sole mio*) è famosa in tutto il mondo. Gli italiani amano molto ascoltare la musica, ma anche cantare. Oggi la musica leggera italiana piace sempre di più a livello internazionale e fa parte della cultura del Belpaese.

I cantautori, artisti che, oltre a cantare, sono gli autori della musica e del testo delle loro canzoni, costituiscono una particolarità della musica italiana. I loro versi, di solito vere poesie, parlano d'amore, ma anche della società moderna e dei suoi problemi. Sono tristi o allegri, ottimisti o pessimisti, ma raramente banali.

Vasco Rossi

Amatissimo, soprattutto dai giovani, è il provocatorio e dolce Vasco Rossi, protagonista della musica rock italiana. Vasco è considerato una leggenda: oltre ai milioni di dischi venduti, i suoi concerti hanno spesso avuto più di 100.000 spettatori. Alcuni suoi successi sono *Vita spericolata*, *Albachiara*, *Vivere*, *Senza parole* ecc.

Eros Ramazzotti

Diventato famoso in Italia dopo aver vinto il Festival di Sanremo con *Adesso tu*, canta soprattutto l'amore. Con canzoni come *Se bastasse una canzone*, *Cose della vita* e *Più bella cosa* Eros Ramazzotti ha conquistato le classifiche di tutto il mondo, con molti milioni di dischi venduti e importanti collaborazioni internazionali.

Zucchero

Molto apprezzato e riconosciuto a livello mondiale con molte importanti collaborazioni è Zucchero (Adelmo Fornaciari), dalla voce particolare e influenzato dalla musica blues (*Senza una donna*, *Niente da perdere*, *Donne* ecc.).

Jovanotti

(Lorenzo Cherubini) ha cominciato come dj per diventare poi cantautore di grande successo. Nei suoi ultimi dischi sono evidenti le influenze della musica etnica, oltre a quella rap. Alcune sue canzoni note sono *Penso positivo*, *L'ombelico del mondo*, *Serenata rap*, *Non m'annoio*.

Laura Pausini

È diventata famosa ad appena 18 anni con *La solitudine*, vincendo a Sanremo nella sezione "Nuove proposte". Ogni suo nuovo cd vende milioni di copie in tutto il mondo ed è particolarmente popolare in America, poiché canta anche in spagnolo e in inglese. Alcune sue canzoni note sono *Strani amori*, *E ritorno da te*, *Resta in ascolto*. Nel 2006 Laura Pausini ha vinto il prestigioso premio Grammy Award.

Luciano Ligabue

È l'altro grande idolo della musica rock italiana. Dalla voce bella e particolare e con canzoni ritmiche o melodiche appassiona i suoi numerosissimi fans. Inoltre, scrive romanzi ed è anche regista.

Andrea Bocelli

Il tenore non vedente è considerato una delle voci più belle sia della musica lirica che di quella leggera, con decine di milioni di dischi venduti nel mondo. Anche lui ha vinto a Sanremo con la canzone *Con te partirò*.

Il **Festival della canzone italiana di Sanremo** si svolge dal 1951 e sul suo palcoscenico hanno cantato quasi tutti i più importanti artisti italiani, ma anche famosi cantanti stranieri. Negli ultimi anni il Festival si è trasformato in uno spettacolare show televisivo che dura cinque serate e oltre ai "big" premia anche le "nuove proposte" della musica italiana.

Nek

Altri cantautori e cantanti molto apprezzati all'estero sono **Riccardo Cocciante**, **Gigi D'Alessio** (grande esponente della musica napoletana moderna), **Nek**, **Tiziano Ferro**, **Giorgia**, **Luca Carboni**, **Mango** e tanti altri.

1. I cantautori
- ☐ a. scrivono sempre versi tristi
- ☐ b. sono anche musicisti
- ☐ c. non piacciono tanto ai giovani

2. Hanno un grande successo all'estero
- ☐ a. Bocelli e Pausini
- ☐ b. Ramazzotti e Ligabue
- ☐ c. Jovanotti e Vasco Rossi

3. Hanno vinto a Sanremo
- ☐ a. Pausini e Ramazzotti
- ☐ b. Bocelli e Tiziano Ferro
- ☐ c. Zucchero e Gigi D'Alessio

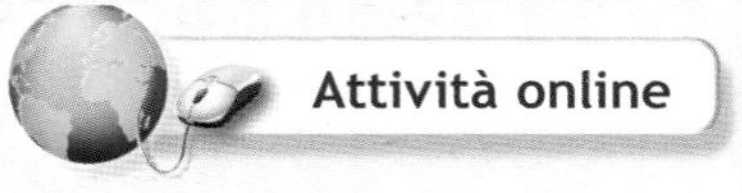

Autovalutazione
Che cosa avete imparato nelle unità 10 e 11?

1. Sapete...? Abbinate le due colonne.

1. esprimere un desiderio realizzabile
2. esprimere il futuro nel passato
3. dare consigli
4. chiedere qualcosa in modo gentile
5. dare indicazioni

a. *Potresti passarmi il sale?*
b. *Credevo che mi avresti telefonato.*
c. *Avrei voglia di fare quattro passi.*
d. *Secondo me, faresti bene ad accettare.*
e. *Gira a destra e poi sempre dritto.*

2. Abbinate le frasi. C'è una risposta in più!

1. Perché non mi hai chiamato ieri?
2. Non so che fare. Qualche consiglio?
3. Mi presteresti la tua sciarpa rosa?
4. Mi sono perso, mi potrebbe aiutare?
5. Sa dov'è la Banca Toscana?

a. Non mi va molto.
b. Prendila pure!
c. La vorrei aiutare, ma non sono di qui.
d. Al terzo incrocio a sinistra.
e. Io al posto tuo insisterei.
f. L'avrei fatto, ma ero impegnato.

3. Completate.

1. Due strumenti musicali: ....
2. Quattro cantanti italiani: ....
3. Un famoso festival di musica italiana: ....
4. Il singolare di *andateci*: ....
5. Il condizionale composto di *leggere* (prima persona singolare): ....

4. Completate le frasi con le parole date. Attenzione: ci sono 2 parole in più!

1. La .... è salita sul palcoscenico, ha preso il .... e ha cominciato a cantare.
2. Il famoso .... parte per una grande .... in oltre 20 città europee.
3. Da piccolo suonavo il ...., a 15 anni componevo musica e scrivevo ...., ma alla fine sono diventato d.j.!
4. Quando il .... del programma ha detto "e ora pubblicità!" ho subito cambiato ....

conduttore *canale*
gruppo *cantante*
concerto *versi*
microfono *tournèe*
canzone *pianoforte*

Verificate le vostre risposte a pagina 191. Siete soddisfatti?

Il Colosseo, Roma

Autovalutazione generale
Quanto ricordate di quello che avete imparato in *Progetto italiano 1*?

1. Dove o in quale occasione sentireste le seguenti espressioni e parole?

1. "Un macchiato"
- ☐ a. al ristorante
- ☐ b. al bar
- ☐ c. al supermercato

2. "Che numero porta?"
- ☐ a. in un negozio di abbigliamento
- ☐ b. in un negozio di calzature
- ☐ c. in un negozio di alimentari

3. "Due biglietti per favore!"
- ☐ a. sull'autobus
- ☐ b. sul metrò
- ☐ c. in tabaccheria

4. "Un etto basta"
- ☐ a. in farmacia
- ☐ b. dal fioraio
- ☐ c. in un negozio di alimentari

5. "Solo andata?"
- ☐ a. alla biglietteria
- ☐ b. in aereo
- ☐ c. in un negozio

6. "Pronto?"
- ☐ a. in un negozio
- ☐ b. al supermercato
- ☐ c. al telefono

7. "Al dente"
- ☐ a. dal dentista
- ☐ b. al bar
- ☐ c. al ristorante

8. "In contanti"
- ☐ a. in un negozio
- ☐ b. a scuola
- ☐ c. al cinema

2. Abbinate le due colonne. Attenzione: c'è una risposta in più.

1. Grazie cara!
2. Quando è successo?
3. Alla fine parti o no?
4. Ragazzi, oggi scriverete un test.
5. Posso essere d'aiuto?
6. E tu che ne pensi?
7. Ma è lontano?
8. Vuoi venire con noi?

a. Per due ore.
b. Accidenti!
c. Girate a sinistra e lo vedrete.
d. Nel settembre scorso.
e. Grazie, faccio da sola.
f. Con piacere!
g. Mah, vedremo.
h. Secondo me, è un errore.
i. Figurati!

3. Inserite le parole date nella categoria giusta. Ogni categoria ha 3 parole.

1. *bar* ....
2. *pasta* ....
3. *feste* ....
4. *supermercato* ....
5. *abbigliamento* ....
6. *tempo* ....
7. *treni* ....

detersivo sciarpa cappotto parmigiano pentola Carnevale ristretto Befana temporale binario uova giacca penne Eurostar stazione temperatura Capodanno tazza nuvoloso tè primo

4. Riordinate le parole per formare delle frasi.

1. ci è tardi si perché è andata Non svegliata ....
2. avrò Quando studiare chiamerò finito di ti io ....
3. ha che niente non detto ne Mi sapeva ....
4. verremo A voi in Natale con montagna ....
5. che Ha passato sarebbe tua da casa promesso ....
6. non chiama digli Stefano che Se ci sono ....

5. Completate le frasi con le forme del verbo *leggere* date a destra.

1. A dieci anni .... le favole.
2. In vacanza .... sempre almeno un paio di libri.
3. Oggi .... volentieri un giornale sportivo.
4. Mi ha regalato un libro che ....
5. Questo articolo l' .... proprio una settimana fa.
6. Ieri sera .... volentieri un libro giallo, ma ero stanco.
7. La rivista che mi hai prestato la .... domani.

leggo
ho letto
leggerò
leggevo
avevo già letto
leggerei
avrei letto

6. Completate le frasi con le parole mancanti.

1. Signora, ... prego .... non dire niente a mia madre, ... dirò tutto io stasera.
2. Perché .... sei alzata così presto, hai molto .... fare prima .... viaggio?
3. Mentre andavo .... scuola ho visto Anna e .... ho invitata .... mia festa.
4. .... ha chiesto di andare con lui .... cinema e molto probabilmente .... andrò.
5. Gianna ha accettato .... uscire con Mario anche se inizialmente .... aveva detto .... no.

7. Scrivete i contrari delle seguenti parole.

1. alto ....
2. lungo ....
3. salire ....
4. aprire ....
5. difficile ....
6. addormentarsi ....

Controllate le soluzioni a pagina 191.
Siete soddisfatti di quello che avete imparato fin qui?

Vi aspettiamo tutti in *Progetto italiano 2*!

Unità introduttiva
pagina 7

Sostantivi in *-e*

1. Molti sostantivi in **-ione** e **-udine** sono femminili (azione - azioni, abitudine - abitudini ecc.)
2. Molti sostantivi in **-ore** sono maschili (attore - attori, sapore - sapori ecc.)

Sostantivi in *-a*

singolare	**il**	problema, tema, programma, clima, telegramma, panorama
	il, la	turista, barista, tassista, pessimista, regista
plurale	**i**	problemi, temi, programmi, climi, telegrammi, panorami
	i, le	turisti/e, baristi/e, tassisti/e, pessimisti/e, registi/e

Sostantivi femminili in *-i*

singolare	**la, l'**	crisi, analisi, tesi, sintesi, perifrasi, enfasi, ipotesi
plurale	**le**	crisi, analisi, tesi, sintesi, perifrasi, enfasi, ipotesi

Nomi indeclinabili

il caffè amaro ➪ i caffè amari
il bar, il re ➪ i bar, i re
l'auto, la moto, la foto ➪ le auto, le moto, le foto
la città, l'università, la virtù ➪ le città, le università, le virtù
il cinema moderno ➪ i cinema moderni
lo sport, il film ➪ gli sport, i film
la serie, la specie ➪ le serie, le specie

Sostantivi maschili in *-co* e *-go*

singolare	il fuo*co*, l'alber*go*	se l'accento cade sulla penultima sillaba (eccezioni:
plurale	i fuo*chi*, gli alber*ghi*	amico-amici, greco-greci)
singolare	il medi*co*, lo psicolo*go*	se l'accento cade sulla terzultima sillaba (eccezioni:
plurale	i medi*ci*, gli psicolo*gi*	incarico-incarichi, obbligo-obblighi)

Alcuni nomi presentano al plurale le due forme (-chi/-ci, -ghi/-gi): chirur*go* - chirur*gi*/chirur*ghi*, stoma*co* - stoma*ci*/stoma*chi*.

Note sui sostantivi che terminano in *-logo*

singolare	il dia*logo*, l'archeo*logo*	hanno il plurale in *-loghi* i sostantivi che *indicano cose*
plurale	i dia*loghi*, gli archeo*logi*	hanno il plurale in *-logi* i sostantivi che *indicano persone*

L'articolo determinativo *lo* (maschile singolare)

Usiamo l'articolo *lo* (plurale *gli*) per i nomi maschili che cominciano per: **s + consonante** (lo spagnolo), **z** (lo zaino), **y** (lo yogurt), **ps** (lo psicologo), **gn** (lo gnomo), **pn*** (lo pneumatico).
*Con la maggior parte dei sostantivi che cominciano per *pn*, l'italiano moderno preferisce l'articolo *il*: il pneumatico.

Unità 2
pagina 32

Verbi irregolari al presente indicativo

cominciare*	***dire***	***mangiare****	***morire***	***pagare****
comincio	dico	mangio	muoio	pago
cominci	dici	mangi	muori	paghi
comincia	dice	mangia	muore	paga
cominciamo	diciamo	mangiamo	moriamo	paghiamo
cominciate	dite	mangiate	morite	pagate
cominciano	dicono	mangiano	muoiono	pagano

piacere	***porre***	***rimanere***	***salire***	***scegliere***
piaccio	pongo	rimango	salgo	scelgo
piaci	poni	rimani	sali	scegli
piace	pone	rimane	sale	sceglie
pia(c)ciamo	poniamo	rimaniamo	saliamo	scegliamo
piacete	ponete	rimanete	salite	scegliete
piacciono	pongono	rimangono	salgono	scelgono

sedere	***spegnere***	***tenere***	***tradurre***	***trarre***
siedo (o seggo)	spengo	tengo	traduco	traggo
siedi	spegni	tieni	traduci	trai
siede	spegne	tiene	traduce	trae
sediamo	spegniamo	teniamo	traduciamo	traiamo
sedete	spegnete	tenete	traducete	traete
siedono (o seggono)	spengono	tengono	traducono	traggono

Osservate:
come *porre*: proporre, esporre...
come *scegliere*: togliere, cogliere, raccogliere...
come *tenere*: mantenere, ritenere...
come *tradurre*: produrre, ridurre...
come *trarre*: distrarre, attrarre...

* I verbi *cominciare*, *mangiare* e *pagare* sono regolari, ma presentano una particolarità.

pagina 37

I numeri ordinali 11° - 25°

11° undicesimo	16° sedicesimo	21° ventunesimo
12° dodicesimo	17° diciassettesimo	22° ventiduesimo
13° tredicesimo	18° diciottesimo	23° ventitreesimo
14° quattordicesimo	19° diciannovesimo	24° ventiquattresimo
15° quindicesimo	20° ventesimo	25° venticinquesimo

Unità 4
pagina 63

Participi passati irregolari

Infinito	*Participio passato*	*Infinito*	*Participio passato*
accendere	*(ha) acceso*	morire	*(è) morto*
ammettere	*(ha) ammesso*	muovere	*(è/ha) mosso*
appendere	*(ha) appeso*	nascere	*(è) nato*
aprire	*(ha) aperto*	nascondere	*(ha) nascosto*
bere	*(ha) bevuto*	offendere	*(ha) offeso*
chiedere	*(ha) chiesto*	offrire	*(ha) offerto*
chiudere	*(ha) chiuso*	perdere	*(ha) perso/perduto*
concedere	*(ha) concesso*	permettere	*(ha) permesso*
concludere	*(ha) concluso*	piacere	*(è) piaciuto*
conoscere	*(ha) conosciuto*	piangere	*(ha) pianto*
correggere	*(ha) corretto*	prendere	*(ha) preso*
correre	*(è/ha) corso*	promettere	*(ha) promesso*
crescere	*(è/ha) cresciuto*	proporre	*(ha) proposto*
decidere	*(ha) deciso*	ridere	*(ha) riso*
deludere	*(ha) deluso*	rimanere	*(è) rimasto*
difendere	*(ha) difeso*	risolvere	*(ha) risolto*
dipendere	*(è) dipeso*	rispondere	*(ha) risposto*
dire	*(ha) detto*	rompere	*(ha) rotto*
dirigere	*(ha) diretto*	scegliere	*(ha) scelto*
discutere	*(ha) discusso*	scendere	*(è/ha) sceso*
distinguere	*(ha) distinto*	scrivere	*(ha) scritto*
distruggere	*(ha) distrutto*	soffrire	*(ha) sofferto*
dividere	*(ha) diviso*	spendere	*(ha) speso*
escludere	*(ha) escluso*	spegnere	*(ha) spento*
esistere	*(è) esistito*	spingere	*(ha) spinto*
esplodere	*(è/ha) esploso*	succedere	*(è) successo*
esprimere	*(ha) espresso*	tradurre	*(ha) tradotto*
essere/stare	*(è) stato*	trarre	*(ha) tratto*
fare	*(ha) fatto*	uccidere	*(ha) ucciso*
giungere	*(è) giunto*	vedere	*(ha) visto/veduto*
insistere	*(ha) insistito*	venire	*(è) venuto*
leggere	*(ha) letto*	vincere	*(ha) vinto*
mettere	*(ha) messo*	vivere	*(è/ha) vissuto*

Unità 5
pagina 76

Verbi irregolari al futuro semplice

Infinito		*Futuro*	*Infinito*		*Futuro*
essere	➪	sarò	rimanere	➪	rimarrò
avere	➪	avrò	bere	➪	berrò
stare	➪	starò	porre	➪	porrò
dare	➪	darò	venire	➪	verrò
fare	➪	farò	tradurre	➪	tradurrò
andare	➪	andrò	tenere	➪	terrò
cadere	➪	cadrò	trarre	➪	trarrò
dovere	➪	dovrò	spiegare	➪	spiegherò
potere	➪	potrò	pagare	➪	pagherò
sapere	➪	saprò	cercare	➪	cercherò
vedere	➪	vedrò	dimenticare	➪	dimenticherò
vivere	➪	vivrò	mangiare	➪	mangerò
volere	➪	vorrò	cominciare	➪	comincerò

Unità 10
pagina 159

Imperativo diretto dei verbi *essere* e *avere*

essere		***avere***	
Affermativo	*Negativo*	*Affermativo*	*Negativo*
sii!	non essere!	abbi!	non avere!
siamo!	non siamo!	abbiamo!	non abbiamo!
siate!	non siate!	abbiate!	non abbiate!

Unità 11
pagina 172

Verbi irregolari al condizionale semplice

Infinito		*Condizionale semplice*	*Infinito*		*Condizionale semplice*
essere	➪	sarei	rimanere	➪	rimarrei
avere	➪	avrei	bere	➪	berrei
stare	➪	starei	porre	➪	porrei
dare	➪	darei	venire	➪	verrei
fare	➪	farei	tradurre	➪	tradurrei
andare	➪	andrei	tenere	➪	terrei
cadere	➪	cadrei	trarre	➪	trarrei
dovere	➪	dovrei	spiegare	➪	spiegherei
potere	➪	potrei	pagare	➪	pagherei
sapere	➪	saprei	cercare	➪	cercherei
vedere	➪	vedrei	dimenticare	➪	dimenticherei
vivere	➪	vivrei	mangiare	➪	mangerei
volere	➪	vorrei	cominciare	➪	comincerei

Unità 1
1. 1-a, 2-c, 3-e, 4-b, 5-d
2. 1-b, 2-e, 3-d, 4-c, 5-a
3. 1. basso; 2. Sicilia, Lombardia (*consultare la cartina a pagina 27*); 3. capisci; 4. avete
4. naso, trenta, testa, bionde, ora/orario, sedici

Unità 2
1. 1-b, 2-e, 3-d, 4-c, 5-a
2. 1-c, 2-e, 3-a, 4-b, 5-d
3. 1. di, a, da, in, per; 2. venerdì; 3. settimo; 4. voglio; 5. facciamo
4. *orizzontale*: sesto, occhio, affitto, duemila, comodo; *verticale*: vengo

Unità 3
1. 1-d, 2-b, 3-c, 4-e, 5-a
2. 1-d, 2-c, 3-e, 4-b, 5-a
3. 1. autobus, metrò, tram; 2. gennaio; 3. sopra; 4. tengo; 5. vogliamo
4. 1. festa, 2. intorno, 3. mezzogiorno, 4. mittente, 5. soggiorno

Unità 4
1. 1-e, 2-a, 3-b, 4-c, 5-d
2. 1-d, 2-e, 3-a, 4-c, 5-b
3. 1. lungo, ristretto, macchiato, freddo, corretto; 2. cappuccino; 3. bevuto; 4. sono rimasto/a; 5. essere
4. *orizzontale*: successo, piazza, giugno, panino; *verticale*: sopra, listino, agenda, tavolino

Unità 5
1. 1-b, 2-d, 3-c, 4-a, 5-e
2. 1-c, 2-a, 3-e, 4-b, 5-d
3. 1. Eurostar, Intercity, Interregionale, Diretto, Regionale ecc.; 2. Natale, Pasqua, Epifania, Carnevale ecc.; 3. ho preso; 4. verrò; 5. sarò partito/a
4. 1. ombrello, 2. aeroporto, 3. libri, 4. panettone, 5. Palio di Siena

Unità 6
1. 1-e, 2-c, 3-a, 4-b, 5-d
2. 1-c, 2-b, 3-e, 4-a, 5-d
3. 1. colazione, pranzo, cena, spuntino, merenda; 2. buono, fresco, salato, dolce, saporito, piccante ecc; 3. mie; 4. vorrò; 5. bei
4. 1. panna cotta, 2. risotto, 3. maialino, 4. ordinare

Unità 7
1. 1-c, 2-d, 3-a, 4-e, 5-b
2. 1-c, 2-b, 3-d, 4-e, 5-a
3. 1. Fellini, De Sica, Rossellini, Visconti, Monicelli, Benigni ecc.; 2. Loren, Mastroianni, Sordi, Gassman, Totò ecc.; 3. mio; 4. facevate; 5. ero arrivato/a
4. *orizzontale*: recitare, pentola, comico, salato, regista; *verticale*: ruolo, attore, film

Unità 8
1. 1-c, 2-a, 3-e, 4-b, 5-d
2. 1-c, 2-a, 3-d, 4-f, 5-b
3. 1. cinque; 2. fioraio, libreria, farmacia ecc.; 3. eravamo; 4. mi; 5. le ho viste (le abbiamo viste)
4. 1. fiori, 2. acqua minerale, 3. pesci, 4. formaggio

Unità 9
1. 1-c, 2-d, 3-a, 4-b, 5-e
2. 1-d, 2-f, 3-e, 4-a, 5-c
3. 1. Armani, Versace, Cavalli, Valentino, Trussardi ecc.; 2. nero, rosa, azzurro, blu, rosso, celeste, verde ecc.; 3. seta, cotone, viscosa ecc.; 4. stretto, largo, elegante, classico, moderno, raffinato, lungo, corto ecc.; 5. ci siamo dovuti svegliare
4. *orizzontale*: tacco, giacca, provare, accessorio, prezzo, etto; *verticale*: crudo, elegante, indossare, sconto

Unità 10
1. 1-e, 2-c, 3-a, 4-b, 5-d
2. 1-c, 2-d, 3-e, 4-b, 5-f
3. 1. Rai 1, 2, 3, Canale 5, Italia 1, Rete 4; 2. *Il Corriere della Sera*, *la Repubblica*, *La Stampa*, *Il Messaggero* ecc.; 3. telegiornale, varietà, telefilm, sport, soap opera, quiz ecc.; 4. non mangiarlo/non lo mangiare; 5. ci ha (hanno) detto tutto
4. 1. telegiornale, 2. puntata, 3. rivista, 4. camicetta

Unità 11
1. 1-c, 2-b, 3-d, 4-a, 5-e
2. 1-f, 2-e, 3-b, 4-c, 5-d
3. 1. chitarra, batteria, tastiera, pianoforte ecc.; 2. *risposta libera*; 3. Sanremo; 4. vacci; 5. avrei letto
4. 1. cantante-microfono; 2. gruppo-tournée; 3. pianoforte-versi; 4. conduttore-canale

Autovalutazione generale
1. 1b, 2b, 3c, 4c, 5a, 6c, 7c, 8a
2. 1-i, 2-d, 3-g, 4-b, 5-e, 6-h, 7-c, 8-f
3. 1. **bar**: ristretto, tazza, tè; 2. **pasta**: pentola, penne, primo; 3. **feste**: Carnevale, Befana, Capodanno; 4. **supermercato**: detersivo, parmigiano, uova; 5. **abbigliamento**: sciarpa, cappotto, giacca; 6. **tempo**: temporale, temperatura, nuvoloso; 7. **treni**: binario, Eurostar, stazione
4. 1. Non ci è andata perché si è svegliata tardi.
2. Quando avrò finito di studiare ti chiamerò io.
3. Mi ha detto che non ne sapeva niente.
4. A Natale verremo con voi in montagna.
5. Ha promesso che sarebbe passato da casa tua.
6. Se chiama Stefano digli che non ci sono.
5. 1. leggevo, 2. leggo, 3. leggerei, 4. avevo già letto, 5. ho letto, 6. avrei letto, 7. leggerò
6. 1. La/di/le; 2. ti/da/del; 3. a/l'/alla; 4. Mi/al/ci; 5. di/gli/di
7. 1. basso, 2. corto, 3. scendere, 4. chiudere, 5. facile, svegliarsi

Unità introduttiva
Traccia **1**: A3
Traccia **2**: A5
Traccia **3**: A6
Traccia **4**: C1 (a, b)
Traccia **5**: C7
Traccia **6**: C8
Traccia **7**: D1
Traccia **8**: D6
Traccia **9**: D7
Traccia **10**: E1 (1, 2, 3, 4)
Traccia **11**: E7
Traccia **12**: E8

Unità 1
Traccia **13**: A1
Traccia **14**: C1
Traccia **15**: D2 (1, 2, 3, 4)
Traccia **16**: F2

Unità 2
Traccia **17**: Per cominciare 3
Traccia **18**: B1 (1, 2, 3, 4)
Traccia **19**: F1

Unità 3
Traccia **20**: Per cominciare 3
Traccia **21**: B1 (a, b, c)
Traccia **22**: F1 (a, b, c)
Traccia **23**: Quaderno degli esercizi

Unità 4
Traccia **24**: Per cominciare 2
Traccia **25**: D1
Traccia **26**: Quaderno degli esercizi (1, 2)

Unità 5
Traccia **27**: Per cominciare 2
Traccia **28**: B2 (1, 2, 3, 4, 5)
Traccia **29**: D1
Traccia **30**: D2
Traccia **31**: Quaderno degli esercizi

Unità 6
Traccia **32**: Per cominciare 2
Traccia **33**: C2
Traccia **34**: C6 (1, 2)

Unità 7
Traccia **35**: Per cominciare 4
Traccia **36**: C1
Traccia **37**: D1 (1, 2, 3, 4)
Traccia **38**: Quaderno degli esercizi

Unità 8
Traccia **39**: Per cominciare 2
Traccia **40**: B1 (a, b, c, d, e, f)
Traccia **41**: E1 (1, 2, 3, 4, 5, 6)
Traccia **42**: Quaderno degli esercizi

Unità 9
Traccia **43**: Per cominciare 3
Traccia **44**: B1 (a, b)
Traccia **45**: E1 (a, b, c, d)
Traccia **46**: Quaderno degli esercizi

Unità 10
Traccia **47**: Per cominciare 2
Traccia **48**: B1
Traccia **49**: E2 (a, b, c)
Traccia **50**: F1 (a, b, c)
Traccia **51**: Quaderno degli esercizi

Unità 11
Traccia **52**: Per cominciare 3
Traccia **53**: C1
Traccia **54**: Quaderno degli esercizi

CD-ROM interattivo

Questo innovativo supporto multimediale completa e arricchisce *Progetto italiano 1*, costituendo un utilissimo sussidio per gli studenti. Offre tante ore di pratica supplementare a chi vuole studiare in modo attivo e motivante. Un'interfaccia molto chiara e piacevole lo rende veramente facile da usare.
Dopo una breve installazione (vedi sotto) e la scelta della lingua (italiano o inglese) per comunicare con il programma ci si trova davanti alla ***pagina centrale***. Queste le prime informazioni da conoscere:

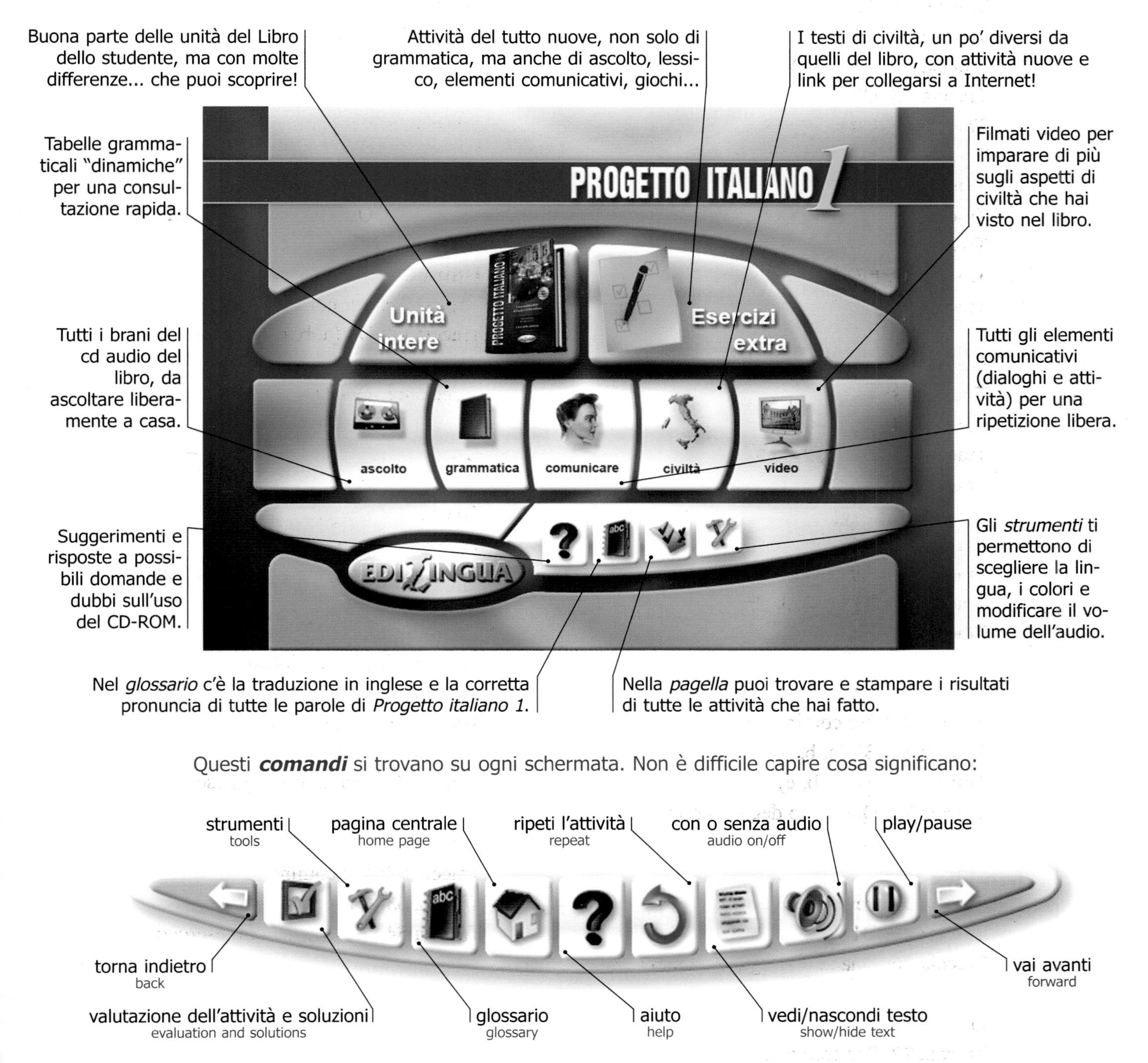

Buon lavoro e buon divertimento!

Installazione: Inserire il CD-ROM nel lettore; fare doppio clic su My computer, sul lettore CD e infine su *setup.exe*; dare tutte le informazioni che chiede il programma e cliccare sempre su next/avanti. **Per avviare il programma**: Inserire <u>sempre</u> il CD-ROM nel lettore CD; cliccare sull'icona creata sul desktop, oppure andare a Start, selezionare Programs e cliccare su Progetto italiano 1. **Requisiti minimi**: Windows 98/Me/2000/XP, Processore Pentium III, lettore CD 16x, scheda audio, 128 MB di RAM, grafica 800x600, 300 MB sul disco fisso, altoparlanti o cuffie.

Installation: Insert the CD-ROM in the drive; double click on My computer, then on the CD drive and finally on *setup.exe*; give all the required information and click on next/avanti. **To start the program**: <u>Always</u> insert the CD-ROM in the drive; click on the desktop icon created during the installation or go to Start, select programs and click on Progetto italiano 1. **Minimal system requirements**: Windows 98/Me/2000/XP, Processor Pentium III, CD-ROM drive 16x, sound card, 128 MB RAM, 800x600 or higher screen resolution, 300 MB free hard disk, speakers or headphones.